京都派の遺伝子

15人の海外クリエイター

エバレット・ケネディ・ブラウン

この書籍は恩師ゲーリー・スナイダー氏に捧げます。
二十世紀のアメリカを代表する詩人スナイダー氏は
一九五六年から一九六八年までの期間の大半を京都で過ごし、
日本の精神文化をより多くの人々に紹介しました。

＊本書は月刊『なごみ』2019年1～12月号掲載「京都派の遺伝子」をもとに加筆修正・再編集してまとめたものです。

はじめに
「京都派」とは

エバレット・ケネディ・ブラウン

梅の花が咲く頃、祇園《ぎおん》のワインバーで、この『京都派の遺伝子』の企画は生まれた。ほどよく熟成した丹波ワインを飲みながら、大学の先輩で陶芸家の利茶土《リチャード》ミルグリムさんと京都の芸術文化を語り合った。

ここ数年、面白いクリエイターたちが京都に集まっている。文化庁が東京から移転するのと関係しているのか、また別の理由があるのだろうか？

面白いことに、素晴らしい感性を持っている若手伝統工芸作家が次々と登場し、彼らの仕事ぶりが伝統工芸に新しい希望をもたらしている。

現代アートの世界でも、東京から京都に拠点を移すクリエイターが増えている。みなが注目している京都、彼らはそこに何を求めているのか？

　そう考えていたとき、利茶土さんが面白い問いをした。

「三百年後に、もしタイムスリップができたら、今の京都をどう回想するのだろうか？」。その問いが、この本の出発点になった。

　言うまでもなく、京都には長い歴史がある。それをマクロな視点から見てみると、様々な伝統的な水脈が最近大きく変わっている。水面下に流れてゆく文化もあるし、完全に乾いてゆく古い水脈もある。また一度乾いても、将来的に復活できる伝統もあるだろう。文化はそのような流動的なものだ。私たちの心の感度にしたがって、文化は消えたり、また地下から湧き上がったりする。

　平安の昔、いやそれよりも以前から、仏教や織物などのシルクロード文化が海を渡り、日本で栄えていた。そのような異文化は京都の基礎文化の「遺伝子」となった。正倉院に収蔵されているような宝物がすぐに

利茶土さんと奥さんの真理さん。

思い浮かぶが、忘れてはいけないのは、海を渡ってやってきた「異人＝マレビト＝稀人」だ。

マレビトは日本文化の重要な役割を担っている。民俗学者の折口信夫《おりくちしのぶ》はそれを、「異界からの来訪神」とした。日本には古代からマレビトがたくさんいたのだと思う。東アジアやシルクロードから渡ってきた、マレビトにまつわる文献は豊富にある。ひょっとしたら、縄文時代以前からマレビト信仰があったのかもしれない。

今の京都を見渡すと、このマレビトのことが頭に浮かぶ。街中に異人、マレビトの顔が増えている。例えば、この本のあとがきを書いて下さったアレックス・カーさんがその一人。新潮学芸賞を受賞したカーさんは現代を代表する知識人として認められている。また、京都精華大学のウスビ・サコ先生。アフリカ系として初めて、日本の大学の学長になったサコ先生は「京都リテラシー」の提案者だ。

この書籍『京都派の遺伝子』に紹介する人物はみな、様々な形で二十一世紀の京都の歴史に関わっている。歴史に残る人もいるし、静かな面影《おもかげ》を残す人もいる。この本では残念ながら紹介できなかった、他の素晴らしい芸術家やインフルエンサーもたくさんいる。

利茶土ミルグリムさんも、またマレビトだ。京都府中部日吉の山中に窯を築き、一九八四年から茶の湯の陶器「茶陶」をつくり続けている。茶道裏千家の第十五代・鵬雲斎《ほううんさい》大宗匠に師事した彼は、利茶土という名前を拝受した。彼の茶陶は様々な名門美術館に所蔵されている。

運命は不思議なものだ。利茶土さんが茶陶と日本に魅せられたのは、ちょっとした偶然がきっかけだった。一九七九年、彼が二十三歳のとき、茶の湯芸術に焦点をあてたアメリカでは初の大展覧会がニューヨークのジャパンハウスギャラリーで行われた。大学卒業を控えた利茶土さんは、その展覧会に関わる仕事をした。オープニングの前日、日本の代表的文化人である鵬雲斎大宗匠ご夫妻が、二人きりで会場を視察にいらした。その折に、利茶土さんにばったり会い、お互いにご縁を感じた。

利茶土ミルグリム作「宇宙」。

軸は裏千家第十五代・鵬雲斎大宗匠筆。

「そのときからご夫妻との間には、魔法のようで、しかもとても自然で温かな空気が流れていた」と利茶土さんは言う。「あの偶然が、人生におけるもっとも大切な人間関係の始まりとなった」。その後、利茶土さんが来日してからは、ご夫妻が大切なパトロン（恩人）となった。

僕と利茶土さんの出会いも不思議な偶然だった。一九八二年の春、僕が初めて日本を旅した二週間目。大学は同じでも利茶土さんと面識はなかった。噂だけはよく耳にしていた。彼が日本にいると知り、いつか会いたいと思った。しかしまさか、僕が泊まっていた九州のお寺に、利茶土さんがひょっこり現れるなんて！

そのときの利茶土さんの言葉が、僕の「日本の人生」の手引きになった。

「日本にいると、思いがけない美しい経験をたくさんするだろう。その経験が『魂の花』になる。ただ、その花をずっと咲かせるのは簡単ではない。コツがいるんだ。まずはその花に栄養を与えなければならない。どんなに忙しい毎日になっても、日常の深い『泥』に根を下ろさなければならない。表現力と自己規律があれば、君もできるんだ」。なんと格好良い言葉だと思った。

この小さな本に登場する人物はみな、それぞれ京都に導かれた「ご縁」がある。彼らマレビトたちは今も、自分の「魂の花」を大切に育て続けている。そして、その豊かな滋味を次の世代に惜しみなく与えようとしている。

最初に登場していただくのは、『Kyoto Journal』の創刊者ジョン・アイナーセン。京都のことを知り尽くした彼の透徹したビジョンが、「京都派の遺伝子」へと潜っていく確かな入り口を与えてくれるだろう。

01

雑誌『Kyoto Journal Insights From Asia』創刊者

John Einarsen

ジョン・アイナーセン

一九五二年、アメリカ・コロラド州生まれ。一九八二年、京都に移住。季刊誌『Kyoto Journal』の創刊者としてアートディレクター兼編集者を務めるほか、デザイナー、写真家としても活躍。写真集に『Kyoto: The Forest Within the Gate』がある。二〇一三年、文化庁長官表彰受賞。

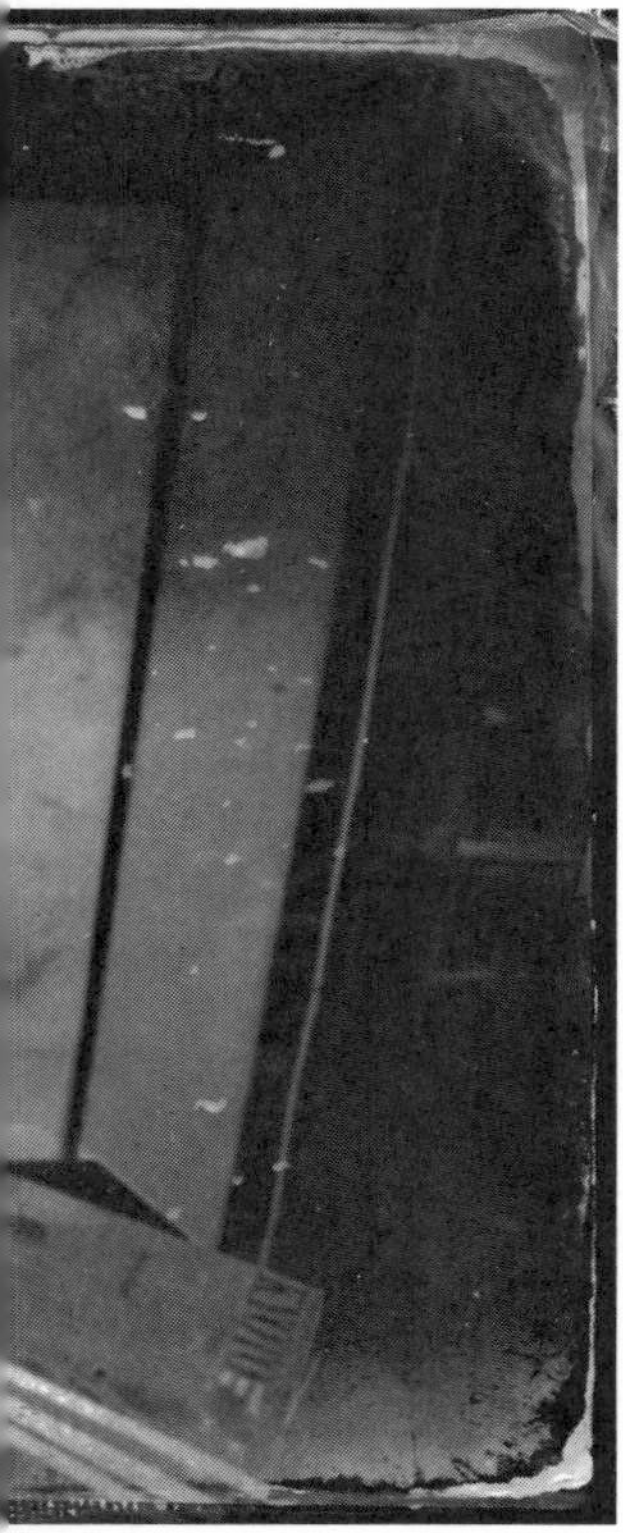

朝の南禅寺《なんぜんじ》。キリリとした冬の空気のなか、本堂から聞こえるお経が数百年前と同じく、境内の隅々にまで響いている。天授庵《てんじゅあん》の庭に入ると、日本で一番古い親友の一人が待っていた。南禅寺の四季折々の「美」を、三十年以上撮り続けるアメリカのアーティスト、ジョン・アイナーセン。

彼はチベット仏教で生まれた「MIKSANG」と呼ばれる、瞑想行為としての写真術のマスターだ。毎年、世界中からこの写真術の愛好家が彼のところに学びに来る。

「禅のようにものごとを丁寧に観察すれば、知覚の可能性は無限大になる。だから、この南禅寺は何度来ても全然退屈しないんだ。毎回、新たな感動があるんだよ」

雑誌『Kyoto Journal』の創刊者であり、デザイナーでもあるジョンさんは「京都は庭の街」と言う。

「天授庵の庭を歩くと、この街の特性は、まさに庭で感じる静けさにあると思う。この静寂は庭の情景だけではなくて、托鉢《たくはつ》をする落ち着いた雲水《うんすい》たちや、職人、茶人の佇まいなどからも感じられるよ」

このような精神性を三十年以上誌面で表現し続けている。

『Kyoto Journal』は一九八七年に創刊された。京都のタウン誌だとよく誤解されるが、海外では貴重な文芸誌として評価が高い。

「京都はアジアを代表する文化のメッカ。古代から様々な国や地域の文化がシルクロードを通り、京都に集まって来た。京都は『文化のるつぼ』だということをもっと伝えたいんだ」

　世界の主要なマガジンデザインアワードに幾度もノミネートされている『Kyoto Journal』だが、実はすべてボランティアで作られている。商業的な雑誌とは一線を画すことで、高いレベルを求める世界中の優れた文筆家や写真家が、喜んで作品を提供している。日本を代表する文化人、詩人の谷川俊太郎や小説家の村上春樹を始め、写真家のアラーキーこと荒木経惟《のぶよし》をいち早く世界に紹介したのもこの雑誌。また、イサム・ノグチなど、日本の美に影響を受けた外国のクリエイターも多く紹介する。

　ジョンさんが来日したのは一九八二年のこと。関西外国語大学で美術史を学ぶためだった。その頃から様々な芸術家、詩人、小説家などが彼の家に集まり、文化サロンを催していた。

「世界のクリエイターはみな京都に憧れる。だから京都を中心にする文芸雑誌を作ろうと思ったんだ」

観峰流《かんぽうりゅう》書道宗家で当時平安文化センターの社長でもあった原田詳経《しょうけい》氏は、ジョンさんの志に感銘を受け、雑誌の主要なスポンサーになった。印刷や郵送費など、原田氏が亡くなるまで援助は続いた。その後は海外の愛読者の支援で雑誌は成り立っている。

「一時は、印刷費の安い海外の会社を使うことも考えたが、やはり印刷まで京都でやることにこだわりたかった」

現在は京都の印刷会社「サンエムカラー」が雑誌を応援している。

南禅寺の庭の池のまわりを歩きながら、僕は「この三十年間で京都はどう変わったのでしょう?」とジョンさんに尋ねた。

「一九九一年頃、『Kyoto Journal』で京都の特集をしたんだ。五十八人の京都の一流の文化人にインタビューし、この街の将来について語ってもらった。多くの人が『京都の文化はもう失《な》くなったか、間もなく失くなるだろう』と答えた。時はちょうどバブル時代後期。高層のホテルが建設され、町家が駐車場に変わり、街の景観が破壊さ

れていた時期だった。その号で私たちは京都の『死亡記事』を書いたくらいだ。だけど二〇〇八年、再び京都の文化人にインタビューをしたとき、面白いことに、彼らは『今や京都は生まれ変わった』と言ったんだよ」

その十七年の間に、何が起こったのだろうか？

「おそらくは九〇年代の終わり頃から、多くの日本の若者が海外を旅し、逆説的に日本の文化の価値を見い出し始めたのが発端じゃないだろうか。彼ら若者たちは京都に戻り、町家を改装して洋服店やカフェ、レストランや雑貨店などの新しいビジネスを始めたんだ。特に若い女性たちが、この京都の文化復興に多大な貢献をした。彼女たちは落ち着いていて新しい、多感な若者たちが互いに美や感性を磨き合うサロンを生み出したんだ。そこに海外のアーティストたちも注目した」

その影響で、京都はお寺や観光だけでなく、アーティストたちが感性を磨く文化芸術の一大都市になった。今や、世界の一流のクリエイターたちが一度は訪れたい街である。イギリスの世界的作家ピコ・アイヤーが、京都を舞台に著した『The Lady and the Monk』という恋愛小説の影響も少なくない。京都の四畳半の部屋を舞台に書か

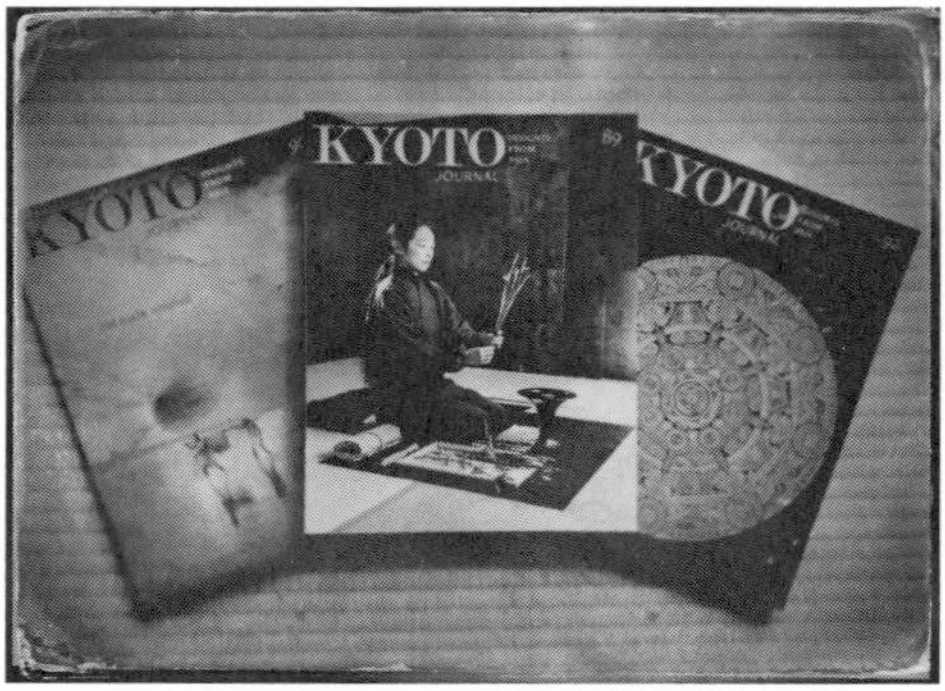

上：京都のみならず日本やアジア地域の生活・文化・社会を様々な視点から紹介する季刊誌。
日本国内でもっとも長く続く英語出版物。
下：南禅寺のほど近く、古い町家を改装してジョンさんは暮らしている。仕事部屋の一隅には
仏像のポスターや日本の骨董、美術品が並ぶ。

れたこの物語は「京都＝ロマンスの街」のイメージを生み出すとともに、千年の古都が秘める美と創造性を世界中の読者に印象づけたのだ。

平安の昔から、感性豊かな世界の若者が京都に集まり、技術や芸術を学んで、故国に戻って還元してきた。近年、そうした「芸術の都」としての京都の役割はより国際的になっている。

例えば、フランス政府がスポンサーになったヴィラ九条山。東山にある美しい施設にフランスのアーティストが半年間滞在し、京都を舞台に制作活動を行う。あるいは国際写真展「KYOTOGRAPHIE」。フランス人の女性写真家と彼女の日本人の夫の手で始まったこのイベントは、今や世界から熱い注目を集める。また「KYOTO EXPERIMENT」では毎秋、洗練されたダンスやパフォーマンスアート、実験的な演劇などが披露される。こうした変化に『Kyoto Journal』やジョンさんが果たした役割はとても大きい。また、二〇二二年以降に予定されている文化庁の京都移転もそれに拍車をかけるだろう。

戦後、京都はパリやニューヨーク、ベルリンとならび、世界中の芸術家や文化人たちの憧れの地となった。そして今や、世界でもトップクラスのアーティストたちが集う街になりつつある。

僕は、こうした京都のアーティストたちを、パリと京都が姉妹都市であることから、「パリ派（エコール・ド・パリ）」ならぬ「京都派（エコール・ド・キョウト）」と名づけた。

この「京都派」の中核となったアレックス・カー氏の話を次で聞こう。

02

東洋文化研究者・文筆家

Alex Kerr

アレックス・カー

一九五二年、アメリカ・メリーランド州生まれ。一九七七年、日本に移住。京都・徳島・奈良などの古い町家を現代に蘇らせるプロジェクトを手がける他、書家としても活躍。『美しき日本の残像』『犬と鬼』『もうひとつの京都』など著書多数。

京都は日本文化の結晶だ。

シルクロードを通じて流れ込んだ大陸の様々な文化要素も見られるし、縄文時代の面影《おもかげ》を感じることもできる。また、日本の街の伝統的な景観を変えていった戦後資本主義の影響も観察できる。

アメリカ人のアレックス・カー氏は、そんな変わり続ける京都の姿を長年、論じ続けている。東洋文化研究者で文筆家のカー氏は、『美しき日本の残像』などの名著や、白洲正子や司馬遼太郎といった戦後の文人との親交でも知られている。

カー氏の著書『もうひとつの京都』が素晴らしい。京都の様々な側面についてわかりやすく書かれており、京都の文化的背景を理解するには恰好の書。とくに印象に残ったのは「真行草《しんぎょうそう》」の話だ。茶道や書道、華道などに習熟している人には、芸術の格や様式を表す概念として馴染《なじ》みのある「真行草」だが、カー氏の意図するそれは独特だ。「真」は伝統的で形式化された中国文化の世界を表し、「草」は日本の土着文化の原始的な様相を表していて、その中間の「行」は韓国の美学によって表現される。この見方によって、京都の文化的な文脈が見事に浮かんでくる。

京都には表の世界とともに、鬼門《きもん》や結界のような目に見えない裏の世界も古くからある。京都駅から嵯峨野《さがの》線に乗り、丹波口《たんばぐち》駅を越えると、この「裏の京都」が現れる。大本教《おおもときょう》の本部として知られる亀岡市にある矢田天満宮。そこにカー氏を訪ねた。

この神社内に、カー氏は四十年以上にわたり住んでいる。明治時代に移築された古い門をくぐると、まるで古の日本にタイムスリップしたかのような風情の境内が。その一角に、江戸時代には尼寺として使われた社務所がある。玄関に足を踏み入れると、古美術を長年の趣味とするカー氏がつくり上げた、究極の東洋の美的世界に迎えられた。

一緒にお茶を飲みながら、師匠、故デイヴィッド・キッド氏のことをカー氏が語ってくれた。

「この家の内装にはデイヴィッドの面影を感じるんだ。絨毯《じゅうたん》やテーブルは、彼の九条山の豪邸にあったものを譲り受けた」

文筆家、東洋美術蒐集家であったキッド氏は、「京都派」のもっとも重要な人物の一人といえる。一九四七年、十九歳の若さで生まれ故郷のアメリカ中部から中国に渡り、

カー氏（左）とその師匠デイヴィッド・キッド氏。1977年、
兵庫県の竹田城跡にて。
（写真提供＝アレックス・カー）

北京で中国語を学んだ。数年後に中国政府の高官の娘と結婚し、豪壮な宮殿に住み、古典的な中国の文化や美術にのめり込んだ。しかし、戦後の人民共和国の圧力で、その瀟洒《しょうしゃ》な暮らしも終わりを告げた。

アメリカに戻ったキッド氏は、ニューヨークにあるアジア・ソサエティで中国文化を教えた。その頃、裏千家第十五代・鵬雲斎《ほううんさい》大宗匠に出会い、京都に来るよう誘われた。一九五〇年代半ばのことだ。裏千家の屋敷に少しの間住まわせてもらった後、キッド氏は兵庫県芦屋市にあった大名の下屋敷を借り、そこで暮らし始めた。

当時、日本では中国から流れてきた骨董品が安く流通していた。目の肥えていた彼は、中国の古い逸品を屋敷に集めることにした。

「戦後の日本人は西洋の文化や経済発展に夢中になり、中国のものにはあまり関心がなかった」とカー氏。「そんな状況で、デイヴィッドは中国で失われかけていた芸術的な暮らしのスタイルを芦屋の家に蘇らせたんだ」

そんなキッド氏の美的な感性に惹かれた人は当時から多かった。欧米の著名な美術コレクターを始め、ミュージシャンのデイヴィッド・ボウイ、ティファニーのデザイ

矢田天満宮の社務所を改築したカー氏の自宅。お気に入りの屏風絵を貼った襖や効果的に配された古美術品が印象的。

ナーのエルサ・ペレッティ、建築家の安藤忠雄氏などが彼の家を訪れた。大学生の若きカー氏もその一人だった。

「デイヴィッドに出会ったのは七〇年代のことだった。あの頃、彼はしばしば即興の文化サロンを自宅で開いていてね。なにしろ、デイヴィッドは一つの香炉について一晩中語れるほど、アジアの美学について知り尽くしていたんだ。僕たちは彼のまわりに集まり、お茶を飲みながら文化について議論をしたり、時にはお腹が痛くなるほどおかしい話も楽しんだものだよ」

カー氏の他に、二人の若者がキッド氏の弟子となった。現在グッゲンハイム美術館の現代アートの学芸員を務めるアレクサンドラ・モンロー女史と、建築家で「古民家移築学」の先駆者的存在の瀧下嘉弘氏だ。三人は、キッド氏のもとで東洋美術を学び、ともに骨董屋やオークションに通ったという。

「僕たちの美的なセンスはデイヴィッドから学びとったものだ。彼は日本を理解するために、中国文明の偉大さを重視したんだ。『中国がわからないと日本は理解できない』といつも言っていたよ」

一九七八年、芦屋の下屋敷は取り壊され、キッド氏は、松竹株式会社を興した大谷兄弟が作った九条山の豪邸に移った。それと前後して、彼は宗教法人・大本教の三代目教主である出口直日《なおひ》氏との交流を深める。大本教には茶道、武道、書、墨絵、能楽など多数の伝統芸術の師匠が集まり、その巡回展は海外にまで及んだ。

「デイヴィッドと直日様の性格はまったく違ったが、大本教の『芸術が宗教の母』という理念にともに深い共感があった」とカー氏は言う。

七〇年代半ばのこと。出口直日氏は今後の大本教の芸術文化活動について、キッド氏に相談した。

「それがきっかけで、日本文化を学ぶ夏合宿を大本教が開くことになったんだ。その『伝統芸術セミナー』の参加者は、着物を着て、初日から茶道や書道、能、合気道の元であった『大本武道』などの稽古を重ねたものだよ。伝統芸術セミナーを通じて、僕は日本の伝統文化の所作には一つ一つに意味があり、何百年もかけて無駄のない美しい形に洗練されていったのだと理解した。それがこのセミナーの最大の収穫だったよ。参加者の多くが日本文化の深い部分に触れる機会を得たんだ」

それから二十年にわたり、カー氏は大本教の国際部で日本文化の優れた専門家として勉強会を開催することとなり、その後も執筆や日本各地の文化イベントを通し、「伝統芸術セミナー」から始まった活動を続けている。デイヴィッド・キッド、アレックス・カーの師弟両氏の伝説は、「京都派」の中核となるものを生み出し、様々な人々をつないでいった。

03

アーティスト

Sarah Brayer

サラ・ブレヤー

アメリカ・ニューヨーク州生まれ。一九七八年、ロンドンのミドルセックス大学で版画制作を学び、一九七九年にコネチカット大学を卒業後、来日し、一九八二年から長野県美麻（現・大町市）の吉田スタジオで木版画を学ぶ。一九八六年には越前手すき和紙を用いた独自の手法を確立し、平等院での個展を始め、数々の個展やグループ展を開催する。

「芸術とともに暮らすことは、感性豊かな人生を過ごす鍵だと思います」

京都在住四十年のサラ・ブレヤーの言葉が心に響く。アメリカ出身のサラは、和紙を使った芸術の可能性を切り拓いたパイオニアの一人として知られる。二〇一三年には、和紙の魅力を独自の表現によって国際的に紹介したことが評価され、文化庁長官表彰が授与された。最近では、光と闇が移り変わることで鑑賞者の見え方が様々に変化する作品『Luminosity』が話題を呼び、世界中の美術館で展示されている。

京都市北部にあるサラの家を訪ねた。夫の藤原誠《まさ》人《と》氏の設計による、それ自体が傑作ともいえる邸宅だ。庭の飛び石を歩いていくと、鯉の泳ぐ池に映る、比叡山の雄大な稜線にハッとする。裏庭に続く菜園や果樹園の向こう側に離れの茶室があり、その縁側で、京都でアーティストとして活動することについて、サラに話を聞いた。

「子どもの頃の家は、両親が集めた美術品に囲まれていました」とサラは言う。「それと、父が出張するたびに母が絵の具を取り出して、絵を描いていたんです。その姿が潜在的に私に影響を与えたと思いますね」

芸術家を志すきっかけは十三歳の頃のこと。生まれ育った町のロチェスター大学のメモリアル・アート・ギャラリーで、母親が町のアーティストの展示会を企画したのだ。サラは母親と一緒に、参加したアーティストたちを訪ね、彼らの生活ぶりに深く感動したという。

「母の知り合いのアーティストたちは、面白くて活気に満ちあふれていました。私も彼らみたいになりたいと思って、そのときから芸術家になることを夢見たのです」

大学で美術を専攻し版画を学んだサラが、初めて日本を訪れたのは一九七九年だった。各地を旅した後、京都の岡崎にあった四畳半の部屋を友人と借りて、近くの銭湯に通った。

「近所の人たちと一緒にお風呂に入るのは私にとって新鮮な体験でした」

その体験をもとにした銭湯の版画シリーズが注目を浴びた。

毎日のように、サラは自転車で街の風景をスケッチするために出かけた。路地の曲線、屋根の鬼瓦、光に照らされた風化した土壁など、日常の何気ない情景に心を奪われたという。狭い部屋に戻ると、その感動を銅版画に刻んだ。

そんなある日、一枚の襖絵に出合った。

自宅にて、夫の藤原誠人さんと。

「大きな和紙に、霧にかすむ松の茂る山が描かれていました。その細かな描写に感動して。この感性を昇華して、自分なりのやり方で表現できないかしら！　と思ったのです」

その経験が和紙の可能性を追求するきっかけになったのだ。

ところで、サラの下宿のすぐ近くに、京都大学の学生食堂があった。当時、そこは若い外国のアーティストが集まる場所になっており、「京都派」の舞台の一つともなっていた。サラはそこで、ブライアン・ウィリアムズ（50頁）とダニエル・ケリー（62頁）というアメリカ人の男性アーティスト二人と出会う。三人は友人となり、ともに写生をしに行くようになった。

「私たちは絵についてとても熱心でした。雪のなかでスケッチをしたり、夜に月光の下で絵を描いたりして。暗くて、描いている色が見えなかったけどね！」とサラは懐かしそうに笑う。

三人で写生旅行にも出かけた。琵琶湖や日本海、そして富士山にまで足をのばした。

「あるとき、ブライアンが滋賀の田舎町で、屋外に即席の銅版画工房を設置したこと

様々な色の和紙を何層にも重ねることで絵を描き出す、サラさん独自の手法。

がありました。私たちが銅版に描いた絵を、野原でプリントしたのです。そういう実験的なことをしょっちゅうやっていましたね」

ブライアンは、すでに日本の美術界によく知られた存在だった。彼の紹介で、京都や芦屋の画廊でともに展示会をした。作品は話題を呼び、やがて横浜の髙島屋や大阪の阪急百貨店でグループ展を開催。サラは京都の近鉄百貨店で個展を開いた。また、国際的に有名な「ＣＷＡＪ現代版画展」でもサラとブライアンの作品は毎年好評を得て、海外からの問い合わせがくるきっかけになった。

バブル経済の一九八〇年代は、新進気鋭のアーティストたちにとって恵まれたタイミングだったといえる。ダニエルの絵画はニューヨークなど海外の画廊で売れるようになり、ブライアンは日本の公共施設からの依頼を受けるようになった。サラは大規模な展示会を各地で開催するようになり、そのなかには平等院、滋賀県立近代美術館なども含まれていた。仕事が大規模になるとともに、新しい工房が必要になった。サラは大徳寺近くの廃《すた》れた着物工房を見つけて改修し、アシスタントを雇って制作に励んだ。

アトリエでの作業。壁や床に和紙を使ったアートが飾られている。

そうして経済的に安定した生活を得たサラは、しばらくニューヨークに滞在し、いくつかの版画工房を訪ねた後、ある芸術家のもとで研修をした。工房にあった引き出しを開けると、人生の閃《ひらめ》きに出合ったという。

「いろんな色や形の紙があったんです。それを見たときに、一枚の紙のなかに、好きな色やデザインを層にできると気がついたのです。それがきっかけで、自分で和紙をつくることになりました」

京都に戻ったサラは知り合いの滝和紙店を訪ねた。店主の実家は越前の和紙工房だと知り、早速、実家の和紙工房を紹介してもらった。サラは福井県今立町《いまだてちょう》（現・越前市）に行き、職人から手すき和紙づくりを習い始めた。現在でも、大きな和紙の場合、サラはその今立の工房で制作する。

福井に住むことを考えたことはないのか、と僕が尋ねると、サラは素晴らしい答えを返してきた。

「京都にいることには特別な意味があるのです。なぜなら、私の仕事に不可欠な職人さんが京都にいるからです。上質な和紙屋や優れた表具師、木工職人、そして染色職人もいます。京都は私にとってインスピレーションの源。だから離れられないのです」

今、サラは京都の若い職人に注目している。特に工芸の世界での新しいエネルギーに驚いているという。「新しい工芸運動が始まっているのではないでしょうか。ただ、多くの若い職人や芸術家がいるけれど、あまり海外に行っていないのは心配です。誰でもそうですが、特に芸術家は新しい場所や人々に出会い、新鮮なインスピレーションを得ることが必要だからです」

サラの話を聞いて、近い将来の京都の姿が見えた気がした。それは「インスピレーションとコラボレーション」に満ちた文化芸術大都市だ。そのためには、国内外のクリエイターが交流できる場所をさらに京都に増やしていくことが重要だろう。

さて次は、先ほど登場したサラの友人で京都派の中核、ブライアン・ウィリアムズの話を聞こう。

04

画家

Brian Williams

ブライアン・ウィリアムズ

一九五〇年、南米ペルー生まれ。六六年帰米、水彩画を始める。一九六八年カリフォルニア大学で美術を専攻し、版画、油彩を学ぶ。一九七二年に来日、京都に滞在し、現在は滋賀県大津市に在住。日本の風景を独自の視点で描き、個展などを精力的に行う。二〇〇二年滋賀県文化奨励賞受賞。

琵琶湖の西、里山に佇む古民家。数年前に葺《ふ》き替えた屋根の上、アワビの貝殻が春の陽射しに輝いている。

ペルー生まれの風景画家、ブライアン・ウィリアムズがご機嫌で説明してくれる。

「あのアワビの貝殻はカラスが来ないように屋根にのせたんだけど、あいつらは羽を休めるために寄ってくるんだ……」と苦笑い。

ブライアン・ウィリアムズは、「京都派の遺伝子」の物語を語る上で知っておかなければならない人物だ。昔ながらの景観が荒らされていく日本の現状を憂い、自然保護を訴える。その思想を込めた彼の風景画に感動した日本人コレクターは数多い。またこの数年、絵画はこうあるべきという先入観に懐疑心《かいぎしん》を持ち、独自に発明した「曲面絵画」が注目を浴びている。

古民家の玄関に足を踏み入れると、奥さんの英美《ひでみ》さんとつくった民芸趣味の佇まいに心が落ち着く。目立つところに陶芸家のダグ・ローリーの作品が数点置いてある。河井寛次郎の弟子だったローリーは京都の庄屋屋敷で生活していた。その暮らしに憧れたブライアンは三十五年前、現在の茅《かや》葺き屋根の家に居を移した。

「京都へ来て、北山の奥で出合った茅葺き農家に一目惚れ。大原あたりにも古民家がずいぶん残っていたよ」

一九七二年、世界一周の旅に出たブライアンが初めて訪れた国が日本だった。昔ながらの狭い路地や町家に感動し、しばらく京都に滞在することを決めた。下宿の大家さんと契約するとき、通訳してくれた女性と恋に落ち、結婚した。

「出会って四十年が経った今でも、冒険や写生を求めて妻とよく世界を旅しているよ」と彼ははにかみながら言う。

当時の京都では外国人の姿は珍しかった。そのなかに、京都派の中心人物の一人であるロバート・ストリックランドがいた。俳優、芦屋《あしや》雁《がん》之助《のすけ》のもとで漫才を学んだストリックランドは、清水寺近くにある「ステーキハウス芦屋」の経営者だった。海外の大物がよく訪れる神戸ビーフの専門店で、古民家を改修した店舗の二階では美術画廊も営んでいた。そこでダグ・ローリーのやきものや木版画家のクリフトン・カーフなどの作品を販売した。

その当時、京都で活躍した外国人芸術家は数人いたが、クリフトン・カーフより日

高所作業車に乗るブライアンさん。
作業車からの景色が「曲面絵画」のヒントになったという。

本に馴染《なじ》んだ人物は他にいなかった。いつも作務衣《さむえ》や着物しか着ない彼は、独自のスタイルで木版画の全工程を一人で行い、国内外に多くのファンを持った。そのカーフの活躍がブライアンの道標となった。

「日本の美術界の門は僕には狭かったから、カーフの芸術活動が大事な見本になったんだ」とブライアンが思い出す。

生活のため、ブライアンは清水坂や大原でゴザを敷いて、似顔絵を一枚千円で描いた。

「良い日は一日二万円や三万円も稼いだんだ！」

やがて、ステーキハウス芦屋の二階での展示の誘いが来た。常設展示は話題を呼び、神戸や他の外国人倶楽部などで展示会ができるようになり、三宮そごうを始め、横浜髙島屋など大手百貨店で展示会を定期的に開催するようになった。「ステーキハウス芦屋が、僕のキャリアの出発点の一つとなった」

時は七〇年代。田中角栄の日本列島改造論のもと、田舎から都会に働きに出たサラリーマンが、生まれ故郷の風景を懐かしく思い出す時代だった。ブライアンが描いた

ブライアンさんが暮らすのは、築200年の古民家を改築した茅葺きの日本家屋。

里山や田園風景は、彼らの心が望んだ思い出や夢そのものだった。

「時代とともに、人々の絵画の好みは変わる」とブライアンは言う。「今の日本人は、農耕的な生活とのつながりが完全に切れている。昔とはちがって、ああ、懐かしい……と感じる人が少なくなっている。現代人は身近な自然ではなく、琵琶湖、滝や巨樹、またはヒマラヤのような大自然を描写する絵を求めているんだよ」

七〇年代後半、高度経済成長のただなかで、画家ダニエル・ケリー（62頁）やサラ・ブレヤー（38頁）がブライアンのもとを訪れた。世話好きな彼は、良き先輩として画材屋を紹介したり、水彩画の技術などを二人に教えた。進取の気性に富んだ三人はすぐに親しくなり、たびたび、実験的なことをするようになった。「普通なら描けない場所で描くことにしたんだ。時にはさびれた古民家にひっそりと寝袋で泊まったり、里山風景を夜明けや月明かりの下で描こうとした」

三人は新しい表現手法をともに考え、お互いに影響し合った。そのうち、ブライアンの紹介で日本の画廊や百貨店で三人のグループ展を開催した。彼らの作品は話題を呼び、やがて海外からの問い合わせがくるようになった。三人は次第にそれぞれの道

に進み、多忙になっていったが、ブライアンは心から愛する風景画を描き続けた。

ブライアンの「曲面絵画」を見ると、ほぼ四万年前の人類最古の絵画、洞窟壁画のような臨場感を覚える。いつの時代から絵画は平面になったのだろうか、と考えてみる。平面の壁に絵を飾る頃からか。ブライアンが写生に使う高所作業車に乗ったときに、「曲面絵画」の発想が生まれたそうだ。高いところから風景を見下ろすと、いつもとはちがった遠近感や臨場感を覚えた。考えてみれば、人間の視野は空間を球体として認知している。眼球も曲面だ。紙面で味わってもらえないのが口惜しいので、ぜひブライアンの曲面絵画を肉眼で見て欲しい。

ブライアンが活躍を始めた七〇～八〇年代の京都は、外国人芸術家や文化人が活躍した「京都派」の第二期といえるだろう。最後に、この「第二期京都派」への思いをブライアンに聞いた。

「私たちは、印象派のように統一された哲学を持っていなかった。にもかかわらず、親密につながった芸術的なネットワークがあったんだ。布のようではなく、紡ぎ上げた糸のようなね。『自分の芸術』をやろうとしている人たちが一緒になって実験的なことをしたりして、自分の進むべき道を見つけていった。そう……それはまぎれもない『京都派』だったんだよ」

05

画家

Daniel Kelly

ダニエル・ケリー

一九四七年、アメリカ・アイダホ州生まれ。版画家・徳力富吉郎の作品に感銘を受け、一九七八年京都に移住。京都の風景や、鯉や提灯といった身近で伝統的な日本のモチーフを中心に描く。作品は大英博物館やニューヨーク近代美術館など世界中の美術館で所蔵されている。

STAND
WITH
STANDING
ROCK

「二十一世紀はアジアン・ルネサンスの世紀」

最近、芸術家の仲間とよくこのことを話題にする。「ルネサンス」とは「復活」や「復興」を意味するフランス語で、主に十四世紀から十六世紀にかけ、ヨーロッパで起こったギリシア・ローマの古典文化の復興運動を指す。しかしもちろん、ルネサンスはヨーロッパだけのものではない。

世界の歴史を見ると、ヨーロピアン・ルネサンス以前から、中国やインドの文明が栄えていた。たしかにここ数世紀、西欧が世界をリードしてきた間、アジアは相対的にパワーを下げたが、最近は経済や政治を始め、確実に復興している。月と同じように、国や文化の勢力図にも満ち欠けがある。

最近、東京の友人たちが京都に集まってきている。京都が文化的にこれから盛り上がるとみんなが予感している。それはどんな形になるのか、答えはまだハッキリしないが、京都はアジアン・ルネサンスの夜明け前の場所かもしれないという予感がする。そのようなテーマを探ることが、この「京都派の遺伝子」のエッセーを書く理由の一つだった。

今、京都の東山近くの自宅の縁側で、この原稿を書いている。山から吹くそよ風を感じながら、時代の満ち欠けについて考える。

満ち欠けといえば、高齢化が進む日本の社会はどんな方向に向かっているのだろう。またベビーブームの時代が巡ってくるのだろうか。しかし僕は、しばらくは「縁側文化の時代」が良いのじゃないかと思う。僕は縁側が好きだ。自然の柔らかさを感じながら、人生を深く味わえる空間。お客さんや親友とくつろぐこともできるし、一人でも安らぐ。働き盛りの若者の数がどんどん減り、大きな経済成長など望むべくもない、これからの令和時代をのんびりと過ごすのに相応《ふさわ》しいところだと思う。そしてこの「縁側文化」こそが、アジアン・ルネサンスの本質ではないかと感じている。

四季折々を感じながら、仲間とお茶をしたり、身体に優しい食事やお酒を楽しんだり、心を養う読書をしたり、または瞑想をしたり。そうしたことを行うのに京都ほど相応しい場所はないが、それは京都が「縁側文化」を提供しているからだ。いや、京都という街自体が一つの縁側空間かもしれない。その縁側は、最先端のテクノロジーによる快適さではなく、心豊かな人々の手でつくられる文化によって演出される。そ

上：京都御所の西、ダニエルさんのアトリエにはキッチンスペースも。手作りのサラダでもてなしてくれた。

下：奥さんのともみさんと版画で結婚式の案内状を作成中。

れこそがアジアン・ルネサンスの大事な側面だ。

さて、ここで紹介する人物は、京都在住の外国人のなかでもっとも面白いアーティストの一人。京都を拠点に活動するアメリカ人の画家、ダニエル・ケリー。京都御所の西側に、伝統産業の工場を改修したアトリエがある。一階は四十年間の作家生活でつくった版画や水墨画のプリントなどを置いている画廊や倉庫で、二階にはスタジオやモダンなリビングスペース、キッチンがある。そこで七〇年代の音楽を聞きつつ、ダニエルがつくってくれた健康的なギリシャサラダを食べながら、話を聞いた。

「一九七八年に初めて京都に来たとき、芸術家になることを確信したよ。京都は人生の道を変える交差点だと思う」

そのダニエルの言葉が、あまりにも僕に響いた。僕自身にも同じような経験があったからだ。

二十代の頃、大晦日《おおみそか》の雪の夜、大徳寺のお坊さんたちと新年を迎えた。空に浮かぶ月を見、寺の鐘の音を聞きながら、お坊さんたちとお酒を酌み交わすうちに、すっかり京都に惚れてしまっていた。そして、明くる元旦、リメイクした明治時代の外套《がいとう》を

まとって、一人冬の日本海に向かった。その一人旅が僕の人生の方向性を決めた。

　僕やダニエルのように、京都の地で人生が変わった若者は昔からたくさんいる。人生の交差点、たしかに京都はそのような場所なのだ。

「僕が探し求めていた表現方法もそうだけど、京都で芸術家として、新たな視点に出合ったんだ。以前から憧れたアメリカの前衛的な文学やデザイン、あるいはファッションや料理の由来が、みな京都にあるとわかった。俳句や禅が持つ形而上学的な美学は、戦後のアメリカ文化のあらゆるところに深く浸透していた。僕の世代に大きな影響を与えたと思う」

　また、京都の街で見かけた広告看板に、ダニエルは強いインスピレーションを受けたという。

「京都の保守的な日常、街並みの単調な色使いと、広告のグラフィックの派手さとのコントラストが刺激的だった。現代の世界のグラフィックアートの傾向というのは、単純ながらもバランス良くリズミカルなデザインと、単純だが強烈な色彩の組み合わせ。それは日本の広告の影響が大きいんだ。つまり、当時の日本のグラフィックアー

トは時代の最先端だったんだよ。だから、アメリカで芸術活動をするより、京都の方が時代の先端の波に乗ることができると思った」

ダニエルはアメリカに帰ると、すぐにサンフランシスコのアトリエを引き上げた。近くの本屋で購入した版画家・徳力富吉郎氏の絵本に、京都の彼の工房の住所や電話番号が載っていた。京都に舞い戻ると、徳力氏にすぐに連絡を取って弟子にしてもらった。その後、ブライアン・ウィリアムズ（50頁）やサラ・ブレヤー（38頁）とも出会い、交流を深めた。

八〇年代、ダニエルは版画を学びながら、京都とニューヨークの二重生活をした。そのときに独特な絵画スタイルを見つけた。提灯《ちょうちん》や鯉、または陶器のような「小さな物体」を、重ねた畳と凸凹の粗い和紙でつくった三メートルほどの大きな画面に、写実的に拡大して描くのだ。観る距離や角度によって、印象が大きく変わるダニエルの立体的な絵画は世界的に話題を呼んだ。

二階のアトリエの壁に、街で見つけたポスターから切り取ったゴッホの自画像が貼ってある。

「同じ画家として、ゴッホと対話しているんだ」とダニエルが言う。「絵を描くとき、画家はみな同じような課題に直面する。ゴッホはレンブラント時代から続いた茶色の世界観から飛び出し、新しい表現方法を生み出したんだ。その姿勢に大きな刺激を受けているよ」

百四十年前に喜多川歌麿の浮世絵に圧倒されたゴッホは、その影響でパリのサロン文化から離れて、南フランスの村で革新的な芸術を生み出した。同じように、ダニエルもサンフランシスコやニューヨークの芸術界から離れて、「京都の縁側」で今までなかった表現方法を見い出した。

「京都は図書館のようなところだとも思う。とても静かで、まわりの人の話や雑音に気を散らされることなく、ゆっくりと物事を考え、集中できる場所だよ」

ダニエルの語る京都の本質は、まさに「縁側文化」そのものだった。「高齢化」と「停滞」の時代を逆手に取って、日本は今、縁側でゆっくりと物事を考える時期にきていると思う。そして、そこから生まれる新たな文化が、二十一世紀のアジアン・ルネサンスの原動力となるだろう。

06

コリーヌ・アトラン

Corinne Atlan

翻訳家・作家

一九五八年、フランス生まれ。一九七八年、INALCO（フランス国立東洋言語文化学院）日本語学科学士課程卒業。一九九〇年から翻訳の仕事を始め、多くの日本文学作品を手がける他、小説やエッセーを執筆。主な翻訳に森鷗外『山椒大夫』、林芙美子『浮雲』、村上春樹『海辺のカフカ』など。近著に『靄礼讃』（『Petit Eloge des brumes』）。

今や人の世は百年の時代になった。一昔前までとちがって、現代では還暦は第二の人生の始まりを意味する。その通りに生きている人がまわりに増えている。ある親友は七十代で再婚したし、九十八歳で初個展をした女性画家も知っている。このような話を聞くと、夢や希望を持つのに年齢は関係ないと勇気づけられる。

しかし欧米ではこのような考えは薄い。最近では長老の知恵より若さが注目されるし、アジアでもそのような傾向がある。しかし還暦が貴重な人生の変わり目になるのはたしかだ。子育てが終わり、やっと自分の人生の「道」に集中できる。工芸作家はよく六十歳から良い仕事ができるという。日本画家もそうだ。また人生が成熟した茶人のお茶は、より「香り立つ」ようになる。

古来、文化芸術の中心地だった京都。僕は二十代の頃から憧れ、ずっと住みたいと思っていた。というか、住まなければ日本を語る資格はないとさえ思っていた。還暦に向かいながら、僕は数年前にようやくその夢を叶えた。長年寄り道をしながら、都の夢をずっと秘めていたおかげで、京都に対する思いがより深くなったと思う。

同じ思いを京都に抱くフランス人の親友がいる。

文芸翻訳家・作家としてフランスで大変注目されているコリーヌ・アトラン。彼女は村上春樹や村上龍や井上靖《やすし》を始め、日本を代表する小説、詩集、戯曲（別役実《べつやくみのる》や野田秀樹）など六十冊以上に及ぶ翻訳を行った。銀閣寺の近くにある白沙村荘《はくさそんそう》の縁側でくつろぎながら、人生と京都の関わりについて話した。

〈京にても京なつかしやほととぎす〉

「松尾芭蕉が京都について詠んだ名句よ」と、コリーヌが言う。「京都から離れると、この俳句をよく思い出すの。この句の意味のように、私もこの都市の面影《おもかげ》を愛している。偉大な詩人、作家、僧侶、または茶人の存在、そういう面影を京都で感じるの。またその経験が私の心の宝になり、京都から遠く離れてもこの街の面影を身近に感じるようになったのよ」。二〇一八年にフランスで出版した『京都の秋』というエッセーのなかでもそれを詳細に語っている。

コリーヌはこの十数年、パリと京都で二重の生活を送っている。京都はパリとよく似ていると言われるが、コリーヌは大きなちがいを感じるそうだ。

「私がパリにいるとき、歴史をもちろん感じるけれど、多かれ少なかれそれは空《くう》に過

LE JAPON

ぎない。京都とちがって、パリには現在のなかの古《いにしえ》を感じないわ」

二十歳で初めて日本を訪れたコリーヌは「東洋の桃源郷」を求めていた。パリの大学で日本学を専攻したコリーヌはシベリア鉄道の切符を買って、未知の東洋に向かった。

「青春時代から、とりあえず遠いところへ行きたかったの」とコリーヌが言う。「日本語を専攻した理由もそうだった。フランス語とまったく違う言葉が持っている感性に夢中になった」

横浜に到着すると、街には師走《しわす》のムードがあふれていた。迎えにきた友人と相談して、正月を京都で過ごすことにした。初めての京町家の畳の匂い、初雪が積もった銀閣寺の朝、障子にさしている冬の光、和蠟燭《わろうそく》の灯《ともしび》、その静謐《せいひつ》な陰翳礼讃《いんえいらいさん》の世界が心に深く沁みた。

「私が見て感じたことのすべてが、精神の糧となったわ。小津安二郎《おづやすじろう》監督の映画の世界のような印象が深く心に残った。そのときの思いが日本文学の翻訳家としての原風景になったの」

日本画家・橋本関雪の旧邸宅、白沙村荘の庭園にて。

その後、コリーヌは長野や東京に一年半ほど滞在し、またしばらく岐阜県の多治見《たじみ》市で陶芸を学びもした。しかし当時、高度経済成長を謳歌していた日本にはまったく興味が湧かなかった。西洋のブランド品と高級品にとりつかれている大量消費時代の日本は、彼女の感性に合わなかったのだ。

「私が憧れていた日本の美的な感性が、経済成長によって失われた気がした。結局、私が探し求めていた桃源郷を見つけるまでだいぶん時間がかかったわ」

日本をあとにしたコリーヌは友人の勧めでネパールに向かった。カトマンズに着くと、コリーヌは未開発の町の雰囲気や人々の暮らしぶりに感動した。「明治以前の日本の雰囲気を見つけたと思ったの。大学でフランス語を教える仕事を見つけて、チベット人が住む地区に家を借りた」

やがて運命的な出会いが訪れる。

ある日、富山医科薬科大学での研究旅行から帰ったばかりのチベット人に出会った。彼は漢方の医者で、カトマンズのチベット漢方医療センターを設立した医師家族のメンバーの一人だった。二人は結婚した。結婚してから、二人は毎年、夏を日本で過ご

した。また富山で一緒に半年ほど滞在し、日本へ引っ越すことも考えたが、産まれたばかりの娘をネパールで育てたいと思ったという。その頃、カトマンズに住んでいた日本人の親友から村上春樹の小説を渡され、まだフランス語に翻訳されていなかった村上文学を読んで、初めて翻訳家になりたいと思った。

「だからネパールに住んでいたけど、心のなかでは日本文学の世界にも住んでいたのよ」

一九九一年、フランスに戻ることになった。当時は日本文学がフランスで流行し始めた頃で、翻訳家の道に入った。自分自身の小説を書きたかったが、小説の翻訳の仕事が次々に入り、とても多忙な日々を過ごした。

翌年、日本とフランスの文化交流を深めることを目的とし、京都の九条山に「ヴィラ九条山」という施設ができた。毎年フランスの選りすぐりの文化人が招待され、京都に滞在しながら制作活動を行う。コリーヌは二〇〇三年のレジデントに選ばれ、京都を舞台にした初の小説を九条山で書いた。

「舞台は幕末。真言宗《しんごんしゅう》の僧侶が高野山《こうやさん》から逃げ、京都を経由し、インドに渡る。彼の十二年間のネパールやチベットでの体験と明治初期の日本への帰郷を物語にしたの」

エリック・ファイやリシャール・コラスなど、コリーヌと同じ世代には、日本を舞台にするフランス人小説家がいる。彼ら三人の書籍によって、日本をより深く愛するフランス人が増えた。

「今のフランスの若者は漫画やアニメが大好き。その影響で日本を幻想的に見ている。ちょっとおかしな話だけど、日本人をまるで宇宙人のような、理想的な国民として見ている人も少なくないのよ」

これからの夢をコリーヌに聞いた。

「まずは自分の小説やエッセー集を日本語で出すこと。日本を舞台にした私の作品を、日本の読者にも広く読んでほしい。そして京都を拠点にして今後を過ごすこと。この二つができれば文句ないわね」

コリーヌと同じく、僕も還暦を迎えたが、彼女との共通点が多いことに驚かされる。僕も若い頃ネパールを旅行したが、なんと彼女が村上春樹を読んでいた地区に僕も住んでいたのだ！　僕はそこで良寛の詩を読んでいた。

人生を振り返ると、青春の頃からずっと日本と結びついていたと感じる。日本は僕たちの祖国ではないけれども、心の祖国だ。そして、京都はまさに、僕たちが探し求めていた桃源郷なのだ。

07

現代アーティスト

榮榮&映里

ロンロン・アンド・インリ

一九六八年生まれ、福建省出身の榮榮と一九七三年生まれ、神奈川県出身の映里からなるアーティストユニット。自身や家族を被写体とし、自然と人との関係性を映し出す作品を多く発表するほか、現代写真芸術の普及、発展のために活動。二〇一五年、京都に移住。

京都といったら、どんなイメージを連想するか？

京都好きの友人に尋ねたことがある。僕は観光ポスターのようなステレオタイプな「和」のイメージを想像したが、彼女の返してきた答えに驚いた。「京都は廃墟と再生の場所よ」。たしかに京都の歴史を見ると、ずっとその両者の繰り返しだと思った。

ここ数年、京都の観光名所でレンタル着物を着ている外国人観光客をとても多く目にする。そういうとき、先の彼女の言葉をふと思い出す。これは文化の崩壊、廃墟なのだろうか？　それとも再生の途中なのか？　面白い現象だと思う。数千年にわたる京都の歴史を考えてみても、今の京都の姿は特別だ。

文化的にでなく、現実に廃墟となっている場所も、京都には存在する。京都の東山、大文字山の向こう。比叡山から宇治にかけてそびえる山々に凄まじいことが起こった。二〇一六年の史上最大級の台風によって、植林された山が崩れたり、数千本もの杉の木が倒れた。歩いてみると、心が苦しくなる風景に出合う。

先日、毘沙門堂《びしゃもんどう》の裏山を見に行ったときのこと。一昔前まで、お坊さんたちがよく歩いていた山道を見つけた。歩を進めると、数百本の杉が折り重なるように山の斜面に倒れていた。一緒に行った夫婦で写真作家の榮榮&映里と彼らの長男・豊申《ほうせん》くんが、そこで撮影の準備を始めた。

榮榮が大型の木製カメラをカバンから取り出し、素早く三脚に設置する。映里と二人で黒い布を頭上にかけて、カメラの後ろで構図を決めた。被写体となった豊申くんが山の斜面を登ろうとしている姿が印象的。まさに生命の崩壊と再生を象徴する情景だった。

中国の福建省生まれの榮榮と、神奈川県横須賀育ちの映里のコンビは、中国を代表する写真作家として知られている。芸術活動とプライベートの両方で支え合ってきた二人の制作活動は、二十年を数える。二人の愛、そして息子たちを映した写真が活動の主な軸となっている。写真表現のなかで、二人は「生命の環《わ》」の物語を追求し続けている。彼らの作品が現代中国美術の歴史に残ることは間違いないだろう。

「自分たちが歩んできた道にも崩壊と再生があった」と映里は言う。

彼女が榮榮とともに北京で暮らし始めたのは二〇〇〇年だった。二〇〇八年の夏季オリンピックの前で、都市開発の騒がしい時代だった。二人が住んでいた街も急ピッ

アトリエで打ち合わせをする2人。背景の写真は、中国山西省にある雲崗石窟（うんこうせっくつ）の磨崖仏（まがいぶつ）。

チで壊され、その廃墟を背景にした彼らの新婚生活の写真作品が話題になった。それがきっかけで、環境との関わりが二人の作品の大きなテーマになった。

「僕たちは身分も何もなく、とても貧乏な芸術家だった」。榮榮が振り返る。「若い頃は本当にお金がなくて、食べるためにカメラを売ったりしたよ。ただ、僕たちは直感に導かれたことを形にしてきた。ゼロからつくり上げ、撮り続けてきた僕らの写真が、予想以上に大きな展開をもたらしたんだ」

二〇〇七年、榮榮&映里は北京に、三影堂撮影芸術中心（Three Shadows Photography Art Centre）を設立した。友人の芸術家であり、世界的建築家の艾未未《アイウェイウェイ》が設計した。そこを拠点に、二人は中国の芸術文化を広めることや世界の芸術関係者を中国とつなげる活動などに取り組み、多忙な生活を送った。ようやく二〇一五年、センターの運営を優秀なチームに任せて、二人は拠点を京都に移した。映里が言う。

「北京の忙しい生活で心が空っぽになったのよ。京都は自分たちの本質に立ち返る何かがあると以前から予感していたの。だから、ここで生活を一度リセットして、新しい制作活動ができると思ったわ」

榮榮が初めて京都を訪れたのは一九九九年。東京の芸術祭に招かれて来日した。芸術祭のかたわら、大阪在住の親友と日帰りで京都のお寺を訪ねたという。

「京都のお寺に、平安時代の文化が残っていることにすごく圧倒されたんだ。京都に来てから、あらゆるところに唐の時代の中国の記憶があり、それらと僕個人の記憶が不思議に重なる経験をしているんだ」

榮榮のように、京都で故郷を懐かしく思う福建省出身の人は多い。千年にわたる京都との深い交流、その面影《おもかげ》に惹かれるのだろう。萬福寺を開山した隠元隆琦《いんげんりゅうき》禅師や、日本を代表する陶芸家・樂家の祖も福建省出身という説がある。

中国人の榮榮と日本人の映里は、心に立ち返る場所が京都にはあると感じている。人生をともに歩んできた写真作家二人の関係、また彼らと京都との関係性をいかに表現できるか、が現在の作品のテーマの一つとなっている。

また、愛についての表現も長年のテーマであり、実際、二人の出会いは写真によって生まれた。

「京都に来てからの新しい挑戦というのは、精神的に深い意味があると思っているわ。

私たちの原点を生み出したいと思っているのだけど、原点というのは時代によって、形が変わってくる。若い頃の愛の表現が、今にも当てはまるわけじゃないでしょう？　その意味で、自分たちが探しているのは東洋の根源ではなくて、愛の根源。それが京都にあると感じているの」

　榮榮が続ける。

「京都は秘密が多い場所。今までは、京都の表面的な姿しか見ていなかった。だから、京都の深層をきちんと見ていくのはこれからだと思っている。直感的な旅みたいなものだね。その過程で、僕たち二人の原点に立ち返ると同時に、新しい京都の姿を写真で表現していくことに挑戦したい」

　京都のイメージ——美しく洗練された和の都。紅葉や苔、侘《わ》び寂《さ》び、枯山水《かれさんすい》の文化都市。

　誰もが持っている京都のそうした先入観は、たしかに真実の一面ではある。だが、榮榮＆映里が追求しているのは、そのような美しい観光写真ではない。誰も見たことのない京都の情景、それを表現するためには、まず写真によって先入観を壊すことが必要だと、榮榮は言う。

「京都は現在のように、ずっと平和だったわけではない。つねに破壊と騒擾《そうじょう》が繰り返されてきた歴史があるが、そういう部分は今あえて見ようとしていない。でも、すべてを見ることが大事だと思う。そういう意味で、この大文字山の裏山の酷い状態を撮影することで、今の京都の見方が変わる。心が苦しくなるのはたしかだけどね。死や破壊、荒廃、そして再生とが、この千年の間ずっと繰り返されてきた。それをきちんと受け止めて初めて、新しい地平が見える。そこが立ち返る場所であり、愛というものかもしれない」

その言葉を聞いた瞬間、時が止まった。三百年後、あるいは千年後かもしれない。けれども遠い未来、この裏山が人の手によって復興され、寺院の修復に使えるような木材を育てる雑木林に生まれ変わる光景が、たしかに眼前に見えた。

崩壊と再生、そして愛。

二〇一一年の東日本大震災を始め、天変地異が相次ぐ現代日本において、そうした「すべてを見る」視点が必要だと強く感じる。

榮榮&映里という芸術家の活動によって、確実に、僕の京都の見方は豊かになった。

08

写真家

Lucille Reyboz

ルシール・レイボーズ

一九七三年、フランス・リヨン生まれ。雑誌やＣＤジャケットの撮影を中心に活躍。二〇一一年、京都に移住し、二〇一三年に仲西祐介とともに「KYOTOGRAPHIE 京都国際写真祭」を開催。写真集に『BELLES DE BAMAKO』『Source』『Impressions du Japon』(平野啓一郎と共著)など。

一八九七年二月。フランスのリュミエール兄弟によって発明された映画（シネマトグラフ）の日本で最初の試写会が行われたのは、京都だった。その後、京都は映画製作の中心地になり、「東洋のハリウッド」として知られるようになる。

現在では、京都は「東洋のアルル」の顔を見せている。南フランスの「アルル国際写真フェスティバル」は世界最大規模のフォトフェスティバルだが、「KYOTOGRAPHIE 京都国際写真祭」もそれにひけをとらない。毎年一カ月間、世界的な写真家、美術館のキュレーターや写真コレクターを始め、およそ十八万人もの写真愛好家たちが京都に集まる。これは日本でも数少ない国際レベルの芸術祭だ。二〇一三年から始まったこの「KYOTOGRAPHIE 京都国際写真祭」は、世界屈指の文化都市・京都の新しい歴史を加速させている。

日本の写真文化は幕末・明治期にまで遡ることができる。その当時から、日本の写真は世界的に関心が高かった。現代でも、杉本博司や森山大道《だいどう》などの写真家は海外では大変な人気がある。また日本のカメラ産業は、一眼レフの世界市場で九九％のシェアを誇っている。アマチュア写真家も日本はとても数が多く、思い思いの日本の美を日常的に作品にしている。日本人ほど写真に親しむ国民は他にないだろう。そう考えると、日本は世界に誇れる写真文化立国といえる。なのに、なぜだか海外とはちがい、日本人はプリントや写真集を購入するという趣味に、まださほど馴染《なじ》んでいない。

「KYOTOGRAPHIE 京都国際写真祭」の共同創設者で共同ディレクターのルシール・レイボーズも、この矛盾を感じていた。京都のフェスティバルの事務局で、彼女に話を聞いた。

「海外のギャラリーオーナーやキュレーターは、日本の写真家に大変高い関心を持っている。だけど、どうやってコネクションをつくっていいのかがわからないの」とルシール。「私たちは日本と世界の写真に架け橋をつくるために、この写真祭を始めたのよ」

フランス出身のルシールは、幼い頃に育ったアフリカ・マリが写真への興味の源となったという。一九九九年、坂本龍一のオペラ「Life」の撮影のために来日した。その後、日本の文化、特に神道に興味を持ち、二〇〇七年から東京を拠点に活動していた。

「KYOTOGRAPHIE」のもう一人の創設者で共同ディレクターの照明家、仲西祐介に

「KYOTOGRAPHIE 京都国際写真祭」の事務局。様々な分野で活躍するスタッフが協力し、写真祭を盛り上げる。

ルシールが出会ったのも東京だった。二人は小泉八雲の『怪談』の話で盛り上がり、強い絆を結んだ。

「東京で祐介に出会ったとき、私たちは偶然にも同じ怪談を読んでいたのよ」とルシールは笑う。それをきっかけに二人は「スピリチュアリズム」をテーマにする作品を共同制作。次第に人生のパートナーとなっていった。

そんな二人が、京都に活動の拠点を移すきっかけとなったのが、3・11の東日本大震災だった。その秋までに、ルシールと娘、そして祐介の三人は京都に引っ越した。

「古くから、お寺や町衆などが芸術家を支える文化が京都にはあるでしょう。京都に引っ越してから、その仕組みを次の世代に受け継いでいけないかと考えたとき、『KYOTOGRAPHIE』が頭に浮かんだの。有意義な写真祭を開催するなら、舞台は東京よりも京都が相応《ふさわ》しいと、祐介と話し合ったわ」

二〇一三年の春、京都市や企業、伝統工芸の職人などの協力で、第一回「KYOTOGRAPHIE 京都国際写真祭」が開催された。その後も友禅染めの老舗《しにせ》で写真を掛け軸にした展覧会をするなど、京都の伝統と美意識があらゆるところに活かされたフェス

上：「KYOTOGRAPHIE」では、展示だけでなくワークショップも開催される。
下：2015年に開催された「KYOTOGRAPHIE」の一場面。京都市役所前の展示に足を運んだ着物姿の女性たち。

ティバルとなった。国内外の一流の写真家の貴重な作品が、神社仏閣やふだんは非公開の歴史的建造物、あるいはモダンな近現代建築のなかに特別なしつらえで展示された。反響は素晴らしいものだった。

「京都人は保守的なところもあるけれど、革新的な側面もあるのよ。ただ、京都で新しいものが受け入れられるには、一つ条件がある。それは、高いクオリティでなくてはならないということ」

毎年の評判が広がり、協力する人や企業も増えていった。シャネルやＢＭＷなどの海外の大企業のスポンサーも共感して写真祭を支えている。もちろん、日本の企業との連携も強化されている。

「私たちは京都人じゃないから、古いしがらみなどで接点を持ちにくい人たちとも、リスペクトしながら大胆につながることができるの。それが強みね」とルシールは言う。また、写真祭を通じて、逆に京都の企業に新規事業のチャンスを提供してもいる。工芸や着物のメーカーをヨーロッパのファッションブランドに紹介したり、華道家、料理人などに新しいコラボレーションに挑戦してもらうなど、ルシールたちは積極的に

動いている。

「人をつなげていくことが私たちの大きな目標。写真の魅力は世代や言語の壁を超えて、人間の様々な可能性を共有できるところだと思う」

「KYOTOGRAPHIE」の働きかけで、現在では関西の一部の公立私立の小中学校のカリキュラムに、写真の授業が取り入れられている。その年のテーマに合わせて撮影し、応募された作品のなかから、「KYOTOGRAPHIE こども写真コンクール」で受賞作を決め、写真祭会期中に展示される。

「KYOTOGRAPHIE」はアジアで最大の写真祭になり、国内外での注目度はとても高い。だが、ここが二人のゴールではない。二人はさらに刺激的で、革新的な写真祭をつくっていくだろう。そのために、こうして子どもたちや学生向けの教育プログラムに力を入れていくことの意味は大きい。

また、「DELTA /KYOTOGRAPHIE Permanent Space」という新しい拠点が鯖街道とゆかりがある出町《でまち》桝形《ますがた》商店街に建てられた。このギャラリーおよびプロジェクトスペースは、京都の商店街の新しい文化の力になるだろう。

ルシールと祐介の努力によって、京都は観光大都市のイメージから、文化芸術大都市になる。

09

ウスビ・サコ

Oussouby Sacko

京都精華大学　学長

一九六六年、マリ共和国バマコ生まれ。現・中国北京語言大学、南京東南大学を経て一九九一年に来日。京都大学大学院工学研究科建築学専攻博士後期課程修了。博士(工学)。専門は住居学や建築計画など。二〇一三年より京都精華大学人文学部教授、二〇一八年学長に就任。著書に『知のリテラシー 文化』ほか。

「日本には目利《めき》き、プロデューサーが少ない」

以前、僕が経産省のある有識者会議に出席していた頃、よく出た話題でもある。目利き、プロデューサーがいないというのは、言い換えれば「外からの視線」が意識されていないということだろう。成功している観光地では、必ずこの「外からの視線」が意識されている。

京都もそう。観光客に対して京都が見せる顔と、リアルな京都の顔はちがう。土産屋で売っているお菓子を京都人は買わない。逆に観光客が誰も知らない生麩屋や豆腐屋に京都人は通う。こうした二つの生活行動を使い分けるのは、「外からの視線」を意識しなければできないことだ。

よく「京都人は裏表が激しい」と言われるが、それは逆に言えば、自分たちの文化を客観的に見る「外からの視線」を持っているということだろう。

二〇一八年の春から京都精華大学の学長を務めるウスビ・サコさんは、一九六六年、アフリカ・マリ共和国生まれ。アフリカ系で初めて日本の大学の学長になった。彼ほど、京都を「外からの視線」で見つめ続けてきた教育者はいないだろう。学長選挙のときの話に、それがよく表れている。

「選挙での、私のマニフェストに次のような内容が含まれています」とサコ学長は話してくれた。「これまで大学は、学生と京都の地元の人々との関係をあまり重視していませんでした。せっかく京都で貴重な青春を送るのに、キャンパスのなかでの勉強ばかりする人が多いように思われます。それはもったいないと思ったんです。学生が京都の街と一緒になった、たくさんのプロジェクトをやりたいと提案しました。もっとオープンで、地域に近い大学に京都精華大学を発展させたい。そのなかで、学生たちには多面的な視野を養ってもらいたいと考えています」

サコ学長は「京都リテラシー」という宣言をしている。学長になってからは、この宣言に基づいた「人財」育成プログラムに、より深く取り組んでいる。

京都の文化には、たくさんのコード（記号）がある。文化だけではなく、「京都人」の会話もそうだろう。「京都リテラシー」では、他の地域からやってくる学生に、ディープな京都を体験させることに主眼をおいている。それによって、「京都人」の理解しにくい文化を解読する能力も身につける。そして将来的には、京都の人々とタッ

サコ学長がふだん作業する学長室。執務机はパソコンや資料であふれる。

グを組み、伝統産業や文化をプロデュースできる「人財」を育成する。それが京都にある大学の役割だとサコ学長は言う。

大学時代に中国で建築を勉強したサコ学長は、研究を続けるため、一九九一年に来日し、一九九二年に京都大学の大学院に進学した。博士号を取得した後、二〇〇一年から京都精華大学の人文学部で地域研究と建築文化論などを教えるようになった。

「人の行動、そこから隠された文化を見つけて読み解くのが面白いんです。京都に来てからは、特に『京都人』の価値観に深く興味を持って調べるようになりましたね」

そうした活動のなかで、サコ学長は精華大学に「総合講座：京都学」という講座をつくった。

「最初は京都のいろいろな文化人をお呼びして対談しました。華道の次期家元（当時）、能楽師、漆職人、芸舞妓さん、大徳寺のご住職、和菓子の職人さんなど様々です。講座の最後には、大徳寺のご住職のところに行って坐禅を組みました。学生を見ていて思ったのは、外国人の私の目を通じて日本文化を学ぶことに興味を持ってくれているということです」

職員との会議も笑顔が絶えない。サコ学長は関西弁も流暢。

しかし、サコ学長が初めて学生として京都に来たときは、日本についてそこまで深い知識はなかったという。

「京都の人々やコミュニティ、伝統文化について、当時はまだ深く興味を持っていたわけではありませんでした。なにしろ、当時の日本はまだバブルの頃で、私が抱いていた日本のイメージは『発展』、ただそれだけでした。しかも、私の故郷のマリ、そして最初に留学した中国は当時まだ発展途上にあり、日本の豊かな経済に憧れがあったんですね。日本人の生活は、私にとっては近未来的な生活だったんです」

サコ学長の研究テーマには、「環境と住民の関係性」が含まれている。日本に来る前に注目したのは日本のモダン建築だった。当時の日本では、建築のビッグプロジェクトがひっきりなしに持ち上がり、それに影響された。しかし大学生のとき、日本での短期滞在という出来事によって、その価値観が一変させられた。

「東京の下町の友達の家に泊まって、衝撃を受けたんです。下町の人々は互いに関係が深くて、その空気がとても居心地が良かった。私がイメージしていた日本は『発展』だけでしたが、日本にもこういう人間同士の親密な付き合いが残っているのかと、目

を開かされました」

日本に留学し、京都大学の大学院に進学してからは、京都の古い建築がどう維持されるのか、町家の活用や転用などの研究テーマに関心を持ち始めた。大学の教員になってからは昔ながらの町家を改装し、カフェやレストラン、ショップに再生するプロジェクトに携わるようになった。

「当時、京都の伝統産業は停滞していました。京都がモダンで便利な街に変わっていく時代の流れのなかで、昔ながらの京都は取り残されつつあった。その二つの京都を結ぶスペースとして、町家に注目したんです。京都は喫茶文化が盛んですから、町家のカフェやレストランへの転用プロジェクトは上手く進んでいるように思いました。他にも町家でイベントをやったり、留学生の勉強スペースを設けたり、映画の上映会をしたり、いろいろなことをしました。町家の建築を残しつつ、そこに新しい文化の息吹を吹き込む。それによってモダンな京都と昔ながらの京都が結びつく。そうした変化を見るのはとても面白かった」

「プロデュースの集大成として、鴨川でのワールドフェスティバルというイベントの開催が挙げられます。一九九九年から二〇〇六年まで続いたこのイベントには、毎年、七千人から一万人が集まった。このイベントで、留学生は日本文化を体験したり、自分たちの文化を逆に来場者たちに紹介したりしました。イベントには西陣織《にしじんおり》など、伝統産業に携わる人たちにも多く参加して頂いたので、様々な職人や文化人と親しくなりました。それはとても大きな出来事だった。よく『京都のコミュニティは部外者が入りづらい』といわれるけど、私はあまりそう感じたことはありませんでした。ラッキーだったんですね」

現在、サコ学長は「京都精華大学伝統産業イノベーションセンター」にて伝統産業の革新を推進している。二〇一七年に始まったこのプロジェクトでは、京都の職人の「匠の技」を記述、アーカイブ化することを目標にしている。そして蓄積した知識を生かし、例えば着物生地を使った新たなファッションなどをプロデュースしたり、アフリカや台湾の藍染文化を着物の染色にミックスするなど、国際的なネットワークを生かしたプロデュースを目指している。固定観念にとらわれないサコ学長だからこそできる発想だろう。

コンテンポラリー・アーティスト

Stanley Wong anothermountainman

スタンリー・ウォン／アナザーマウンテンマン

中国・香港生まれ。クリエイティブ・ディレクターとして国際的な広告の演出に多数携わる。美術、写真、グラフィックデザイン、広告の分野で国内外合わせて六百以上の賞を受賞。二〇二一年、香港現代芸術賞を受賞。アナザーマウンテンマンは雅号。

京都は水の都だ。

この街に暮らすようになって、改めてそう思う。

なんでも、琵琶湖の水量に匹敵するほどの水脈が流れているそうだ。考えてみると、この恵まれた地下水源が平安の昔から、都の料理やお茶、工芸などの文化を支えてきた。

何の変哲もない路地でも、ところどころに井戸や、美味しい湧き水の出る「隠れた名所」に出合うことができる。また、京都を象徴する河川である鴨川のように、北の山から流れ下ってくる川もよく見かける。街を流れている川を数えてみたことがある。ざっと十三ほどもあったので驚いてしまった。

京都の川には、どれも先人たちの面影《おもかげ》がある。

例えば、早春の鴨川。柳が芽吹き、河津《かわづ》桜《さくら》が満開になる川辺の風景を見ると、平安時代を生きた人の思いが胸によぎる。

僕のもっとも好きな京都の川は東山にある。蛍の棲む哲学の道、その横にせせらぐ小川だ。最近、今さらながらに知ったのだが、あれは実は本当の川ではないんだそうだ。蹴上《けあげ》から南禅寺に注いでいる琵琶湖疏水の分流なのだ。とにもかくにも、その疏水（小川）、そして哲学の道は、僕のお気に入りの散歩スポットだ。

哲学の道を一緒に散歩する仲間がいる。

一人は、香港を代表する芸術家のスタンリー・ウォンさん。奥さんのジェシー・ローさんと二人、哲学の道から少し上ったところにある霊鑑寺《れいかんじ》の周辺に別荘を構えている。二人が京都に来るたびに、彼らの家に僕と共通する多くの友人たちが集う。

もう一人は花士《はなのふ》の珠寶《しゅほう》さん。慈照寺《じしょうじ》（銀閣寺）の初代花方として、日々の献花や生け花道場での指導などを行ってきた女性だ。現在は独立し、草木に仕える花士として活動している。珠寶さんは、香港や台湾、フランスなどで国際文化交流事業を手がけている。それがきっかけとなり、香港でスタンリーさんと出会った。

「スタンリーとのご縁は運命的でした」と珠寶さんが言う。

「香港や中国で出会ったたくさんの文化人のなかで、彼の観察力は抜群でした。いつか、彼とコラボレーションをしてみたいとずっと望んでいました」

二〇一一年三月にその日が訪れた。スタンリーさんは自分の三十年間のキャリアを

珠寶さんとの制作の様子。

記念するため「What's Next 30 × 30」という巡回展示を計画した。ファッションデザイナーの山本耀司《ようじ》氏や、グラフィックデザイナーの原研哉《けんや》氏、日本広告史に残るアートディレクターの浅葉克己氏など、世界的なトップクリエイターが参加した。

「私は日本のクリエイターに大きな影響を受けた。珠寳さんに会ったときにも、彼女の感性に共感したんだ。この大きな企画にぜひ参加して欲しいと思って、声をかけました」とスタンリーさん。

二人のコラボレーションのテーマは「Reborn Ikebana／再生と花」となった。作品の撮影の日程は、三月十八日から十九日を予定した。しかし、準備の真っただなか、三月十一日、東日本大震災が起きた。香港の友人はみなスタンリーさんを心配し、「日本へ行って大丈夫なのか？」と聞いてきた。そこで思い起こしたのはコラボレーションのテーマ「再生と花」。

このときだからこそやるべきだと、二人とも確信した。

結局、撮影場所の京都へ着いたのは、震災から約二週間後の二十八日のことだった。

「京都は静まり返っていて、人々もまた同じだった」とスタンリーさんが思い返す。銀

大乗仏教の研究もしているというスタンリーさん。
別荘の一隅には仏画が飾られていた。

閣寺に着くと、珠寶さんはすでに白い着物に身を包んで待っていた。二人は挨拶もそこそこに、すぐに大震災の被害者の方々へ黙禱《もくとう》し、供花を始めた。

それから二日間、沈黙のなかで七つの生け花をしつらえ、撮影していった。花材は一つ目の作品から徐々に、枯れた花から生花へと変わっていき、最後はツクシとスミレで芽吹きを表す。普通なら生花から枯花へと変わっていく花の移ろいを、逆転させることで、まさに再生を表現した。

「生け花は死と深く関係しているんです。作業中に人生の輪というものを感じました。あの作品は単なる芸術的コラボレーションではなく、3・11直後のあの時期だからこそやらなければならなかった、スタンリーとの運命的な作業だったと思います」

一方スタンリーさんは、珠寶さんとのコラボレーションによって、京都の見方が一気に変わったという。以前から彼は京都が好きだった。祇園《ぎおん》の八坂のような古い街並み、その端正な佇まいを見るたびに、唐代の都、長安《ちょうあん》を思い起こすという。大乗仏教を長年研究しているスタンリーさんは、その関係で、お酒も口にしない菜食主義の生活をしている。

「3・11の後、寺院が多い京都を、より深く愛するようになった。変な話だけれど、前世は京都にいた気がするんだよ」

三十年以上にわたり、広告や映画業界の最前線で活躍しているスタンリーさんには、芸術家としての別名がある。「又一山人（anothermountainman）」という雅号だ。なぜこの名前を選んだのかと尋ねると、「中国の明時代末期に、八大山人《はちだいさんじん》という、画家であり書家でもある詩人がいたんだ。僕が大変尊敬する人物で、多くの影響を与えてくれた。山人の生き方に準じるために又一山人という雅号を選んだんだ」

別荘で中国茶と香港の美味しいチョコレートを頂いた後、スタンリーさんは庭を案内してくれた。珠寶さんが紹介した京都の庭師が手がけた枯山水《かれさんすい》が完成したばかりだった。

「日本庭園がずっと欲しかったんだ。特に苔に深く感化されるよ」

さらにスタンリーさんは続ける。

「近所には香港の仲間も住んでいるんだ。みな第一線でクリエイティブな仕事をしている人たちでね。京都には、香港とはちがうリラックスできる生活の質があるんだ。

僕たちは京都で得たエネルギーとインスピレーションを、香港に戻って仕事に還元しているのさ」

スタンリーさんと珠寶さんのコラボレーションは、京都の芸術国際都市としての姿を見事に表している。地下に流れるいくつもの水脈と同じように、大陸から流れてきた文化的な水脈が、京都の文化の地層には数多く流れ、それが「京都派」の遺伝子を形づくってきた。その力は、様々な形で京都人の日常生活のなかにいまだに湧き上がっている。と同時に今の時代、それは太い潮流となって大陸へと逆流しているのだ。スタンリーさんの言葉は、まさにそのことを裏づけてくれた。

11

陶磁器ギャラリスト

Robert Yellin

ロバート・イエリン

一九六〇年、アメリカ・ニュージャージー州生まれ。一九八四年に来日、静岡県に居住した後、青山学院大学や日本大学などで英語を教えた。酒器や茶碗など日本の陶磁器を蒐集、研究し、二〇一一年、銀閣寺近くに「ロバート・イエリンやきものギャラリー」を開設。

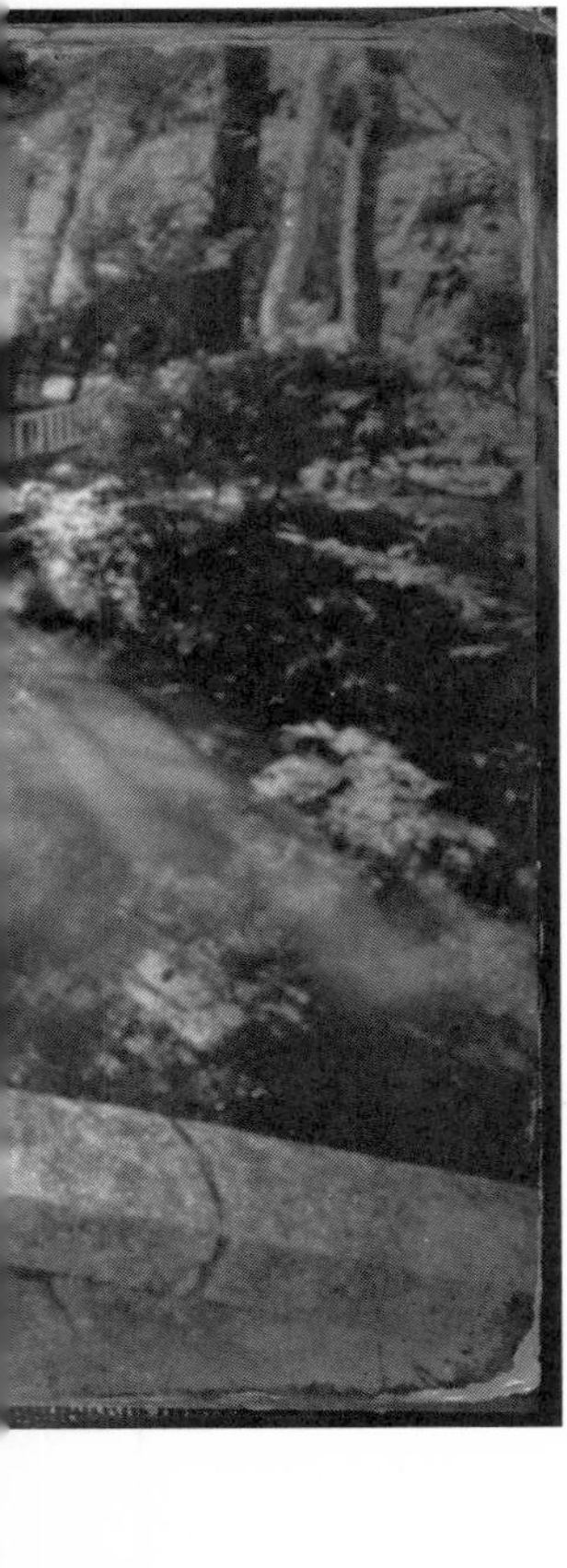

作家・谷崎潤一郎《たにざきじゅんいちろう》が京都でもっとも愛した寺、左京区の法然院《ほうねんいん》。その寺の侘びた庭を案内してくれるのは、日本の陶磁器の歴史において、外国人目利《めき》きの第一人者であるロバート・イエリン。庭を少し歩くと、時が止まったような静寂に包まれた池がある。そこを泳ぐ鯉を眺めながら、ロバートは語り始めた。

「父は、この池の下に眠っているんだ。太平洋戦争の空軍パイロットでね。亡くなったとき、遺灰を池に撒いてもらったんだよ。父は京都が大好きだったけど、自分の息子も将来、こうやって京都で暮らすとは思いもよらなかったと思う。人生とは不思議なものだね」

ＰＴＳＤ（心的外傷後ストレス障害）に悩まされたロバートの父親は、同じく戦争の後遺症に苦しむ若い兵士を助けるために財団を立ち上げ、生涯その活動を続けた。法然院の池に自分の遺灰を撒いてもらうのは、ロバートの父親にとって最後の魂の癒やしだったのかもしれない。お陰で、ロバートはいつでも父親の「お墓参り」ができる。

池のほとりで、僕はロバートとともに一分間の黙禱《もくとう》を捧げた。それから銀閣寺近くのロバートの自宅兼ギャラリーへと向かった。哲学の道に面したその家屋敷の入り口に足を踏み入れると、まるで美術館のように陶磁器や彫刻が上品に配置されていた。一階のギャラリーは、床からテーブル、陳列棚にいたるまで、数十個の陶磁器で飾られている。陶磁器の多くは著名な現代作家のものだが、奥の部屋へ入ると桃山や鎌倉、平安時代の逸品も少なくない。

　これらのコレクションは、三十年以上にわたり、ロバートが日本の陶芸文化に大きな貢献を果たしてきた一つの証しに他ならない。陶芸の目利きとして、また数々の執筆や講演活動によってロバートは世界的に知られている。また故スティーブ・ジョブズを始め、世界のコレクターや主要な美術館のキュレーターに陶芸の購入についてのアドバイスもしてきた。

「以前はコレクターだったけど、今では陶芸への情熱をみんなと共有することが私の喜びだよ」とロバートは言う。

「伝統を守り続けるために若いアーティストを支援したいんだ」

　ギャラリストとしてのロバートの仕事は、ビジネス中心ではない。ギャラリーの宣

伝はせず、顧客は主に紹介を通じて来るだけ。今の彼の陶芸への情熱は、自分に大きな影響を与えた日本文化に恩返しをすることだという。そのために、若い陶芸家を積極的に支援している。画廊で預かっている陶磁器のアーティストの全員と、ロバートは個人的な親交を結んでいるのだ。

京都に来る前、ロバートは静岡県の三島市と沼津市に住んでいた。そこで彼は、日本の陶磁器のインターネット販売をいち早く始め、成功した。静岡はまた、彼が最初に日本の陶磁器に興味を持った場所でもある。

「子どもの頃、私は貝殻や流木に魅了されていてね。それが、おそらく陶芸に対する好奇心の原点だと思う。最初に日本に来たとき、陶磁器のさまざまな自然の色、形、質感に魅了されたよ。貝殻に夢中だった子ども時代に返ったみたいだった」

大学生の頃、ロバートは沼津でホームステイをした。日本食と酒が大好きになったのはそのとき。最初に陶磁器の魅力に気づいたのは、料理の器や酒のお猪口《ちょこ》を通じてだった。九谷《くたに》、有田、伊万里《いまり》などの陶磁器に精通し、彼はその繊細な外観の美しさにますます魅了されていった。

ある晩、備前《びぜん》焼のぐい呑みで日本酒を呑んだときに、陶器の概念がガラリと変わったという。

「その粗さ、野性味に驚いた。そのぐい呑みがどのように作られたのかをいろいろ調べるよりも、心を静めて耳を傾ければ、陶器自身がより深いことを教えてくれると悟ったんだ」

大学卒業後、ロバートは備前や他の陶磁器の産地を訪れ、多くの陶芸家に知己を得、日本を代表する陶芸家たちへインタビューをした。このときのネットワークは、彼のギャラリーを成功させる足がかりとなった。

「薪窯《まきがま》のやきものが特に好きだった。なぜかというと、その作家の意図と自然の力の関係性がよく見えて面白いんだ。窯は宇宙のように果てしなく、また一個一個の作品の母でもある。窯のなかで生まれる偶然性には無限の魅力があると思う」

それほど陶磁器に魅せられていれば、自分でも作陶をすると考えるのが普通だろう。だが尋ねてみると、意外な答えが返ってきた。

「誰もがそれを尋ねてくるんだけど、僕にはつくる才能がないんだ。それよりはテニスをすることに才能と情熱を注いでいるよ（笑）」

　僕は抹茶茶碗を手に取り、どうやって良い茶碗を見分けるのか尋ねた。

「茶碗は見込み（茶碗の内側）と高台《こうだい》にその本質がある。陶芸家の『心』の様子はそこに表れるんだ。その作家の今までの人生のすべてが、手の動きを通じて作品に映し出されるんだよ」

　長年の研究の成果で、ロバートは今では抹茶茶碗を手にしただけで、陶芸家の年齢や性格をほぼ見抜くことができる。

「それが抹茶茶碗の好きなところなんだ。私たちは優れたやきものを手で持つと、その作家の精神を感じることができる。魂あふれる陶芸家がつくる茶碗は、私たちに美と、恵みある生活を送ることを教えてくれる。素晴らしい茶碗を手に持つことは、『祈り』を持っているようなものだ。生きていることへの感謝が自然と心に湧いてくるんだよ」

　日本の陶磁器は、国内では人気が衰えているが、一方、ここ十年ほどで海外での人気が高まっている。ロバートの情熱的な活動がここに果たした役割はとても大きい。

執筆や講演の他にも、インターネットを通じてロバートは詳細な情報を発信し、大きな影響を与えている。そのおかげで、国際的なギャラリーや美術館のキュレーターの陶磁器に対する関心と知識が増し、人気が高まってきているのだ。

それにともない、日本の陶芸家が海外で展示や販売をする機会も飛躍的に増えた。インバウンドの観光客の間でも陶磁器や工芸品への関心が高まっている。

「陶芸は日本独特の、人類への贈り物といえるね。用の美であり、日本文化の本質を体現している。例えば、縄文的な文化のルーツや、韓国や中国などの面影《おもかげ》も感じる。土や木など、自然との関わりも深いから、陶芸を知ると環境問題への関心が高まるのも素晴らしいことだと思う。大量生産の既製品とはちがい、作家ものは高価かもしれないけど一生楽しめる。まさに持続可能なライフスタイルを象徴しているようだよ」

彼の話を聞いて、僕はある僧侶の言葉を思い出した。

「環境問題は私たちの外にあるのではなく、私たちの心のなかにある問題だ」

陶磁器を通じて、このような普遍的な問題まで考察しているロバートは、まさに現代の目利きであり、優れたプロデューサーといえるだろう。110頁で紹介した京都精華大学のサコ学長が、「日本には目利きが少ない。日本文化をより深く解釈するための育成教育が重要だ」と語っていたのが思い出される。ロバート・イエリンこそが、こうした教育が目指すべき一つのロールモデルのように、僕には思えた。

12

造園建築家

Marc Peter Keane

マーク・ピーター・キーン

一九五八年、アメリカ生まれ。ランドスケープ・アーキテクト。一九八五年に来日、約二十年間京都に暮らし、寺院や個人の日本庭園を設計。京都造形芸術大学（現・京都芸術大学）元講師、コーネル大学客員研究員、日本庭園・歴史遺産研究センター研究員。日本庭園に関する訳・著書多数。

「京都で好きな場所は？」と聞かれたら、最近は迷いなく「岩倉《いわくら》」と答えるようになった。

岩倉の地名の語源は「磐座《いわくら》」で、これは古くから信仰の対象になってきた石のことを指す。その名にちなんだ石座《いわくら》神社は訪れる人が多いけれど、僕が好きな磐座は山に隠れている。実は京都は数々の磐座に囲まれている。東山の奥にある磐座は特にお気に入りだ。立ち並ぶ異形の巨石は人の手でつくられたのか、自然のものなのか、または宇宙人が空から下ろしたのか……そんな突飛なことを夢想するほど、不思議な佇まいをしている。

俗に「灰山庭園」と呼ばれるその場所に、最近はゴザを敷いて、野外でお茶を点てる。「野点《のだて》」だ。感性豊かなお茶仲間と岩陰で、繊細な風や光の移ろいを五感で味わいながら日常を忘れる。古美術に詳しい仲間は縄文時代の器を時々用意してくれる。四千年前の茶碗に口をつけると、古代人の生きた「心」を実感する。

テレビもインターネットもない時代、その当時の人々は感性が鋭かった。というと懐古趣味に聞こえるかもしれないが、事実そうだと思う。例えば「風」一つをとっても、数々の微妙にちがう名前をつけて歌を詠んだ。松風、風月、そして風神まで、日本人は心豊かに風と付き合っていた。今の時代、インターネットからは得ることができない五感や六感の世界観を取り戻そうとする人が増えている。この志を持っている仲間が磐座に集まる。この会を「京都令和会所」と名づけた。令和の時代に相応《ふさわ》しい文化サロンを目指している。

さて、「京都派の遺伝子」でぜひ紹介したい親友がいる。造園家マーク・ピーター・キーン。彼もまた、京都の磐座に関心を持っている一人だ。

「京都の磐座を見ると時間軸が広がる気がするよ。縄文の時代を思い、平安や室町の京都をより身近に感じられるんだ」

そう語るマークさんは、京都造形芸術大学で教鞭をとったあと、二十年にわたりアメリカのコーネル大学で造園を教えた。日本最古の庭園書『作庭記《さくていき》』の英訳を始め、日本庭園についての学術書やエッセーを五冊著し、どれもが最高の評価を得ている。マークさんほど日本庭園について、美しい英語の文章で語る人は他にいない。

現在は、京都の修学院《しゅうがくいん》の近くに陶芸作家である奥さんの桃子さんと市中隠生活をし

ている。お茶室付きの和風の家の敷地内に陶芸工房を建て、二人で陶芸作品もつくっている。来日当初、毎日のように禅寺を訪ね、枯山水《かれさんすい》の〝無限の小空間〟に魅せられたというマークさんは今、新たな枯山水づくりをしようとしている。今までの庭園とちがって、二十一世紀の最先端の思想を取り入れた枯山水になるという。マークさんの陶芸工房の窓から庭を眺めながら、話を聞いた。

「約六千六百万年前、『チクシュルーブ衝突体』という巨大な隕石が地球に落下した。そのときに恐竜を始め、地球上の生命体の九十九％が絶滅したんだ。このことが最近の科学技術でわかった。今の地球環境は、人類の手によって大きく変化しているのに、そのことに無自覚だ。我々は地球のこと、生命のことをもっと考えなければいけない。そのきっかけとして、『チクシュルーブ衝突体』をテーマにした庭園をつくろうとしているんだ」

日本庭園の歴史はおよそ千年前から始まったといわれる。平安時代、「陰陽《いんよう》五《ご》行《ぎょう》」などの大陸から入った思想を踏まえて日本独自の庭がつくられていった、とマークさんは指摘する。考えてみると、平安の人たちから見れば「陰陽五行」は当時の最先端

陶芸家の奥さんと自宅前で。

の思想だった。現在の量子物理学のような、すごい発想だと思ったのかもしれない。

京都の庭園へ行くと平安の庭園はほとんど残っていない。今の枯山水庭園はまったくちがうものになった。室町や江戸時代の庭園が多く、当時の仏教や道教または神道的な概念を踏まえてつくられている。

「枯山水は基本的に石や苔《こけ》を使う。また簡潔な構図を保つ。しかし形は時代によっていつも変遷しているわけでしょう。何が伝統なのか、それをもっと掘り下げる必要があると思う」

たしかに残すべき伝統、活かすべき伝統、復活させるべき伝統がある。どんな基準でそれらを決めるのか？　また、どうすれば今の時代を代表するような、新しい伝統をつくれるだろうか。振り返ると、まず明治維新があり、太平洋戦争の敗戦による急激な国際化があり、様々なところで日本の伝統が歪んできた。この「令和」の時代だからこそ、日本の伝統のことをみんなでもっと考える良い機会ではないだろうか。

マークさんは以前、プレートテクトニクスという地質学的な概念をモチーフに、ニューヨークで「突き出す（Thrust!）」という庭園を発表した。マンハッタンのビルの

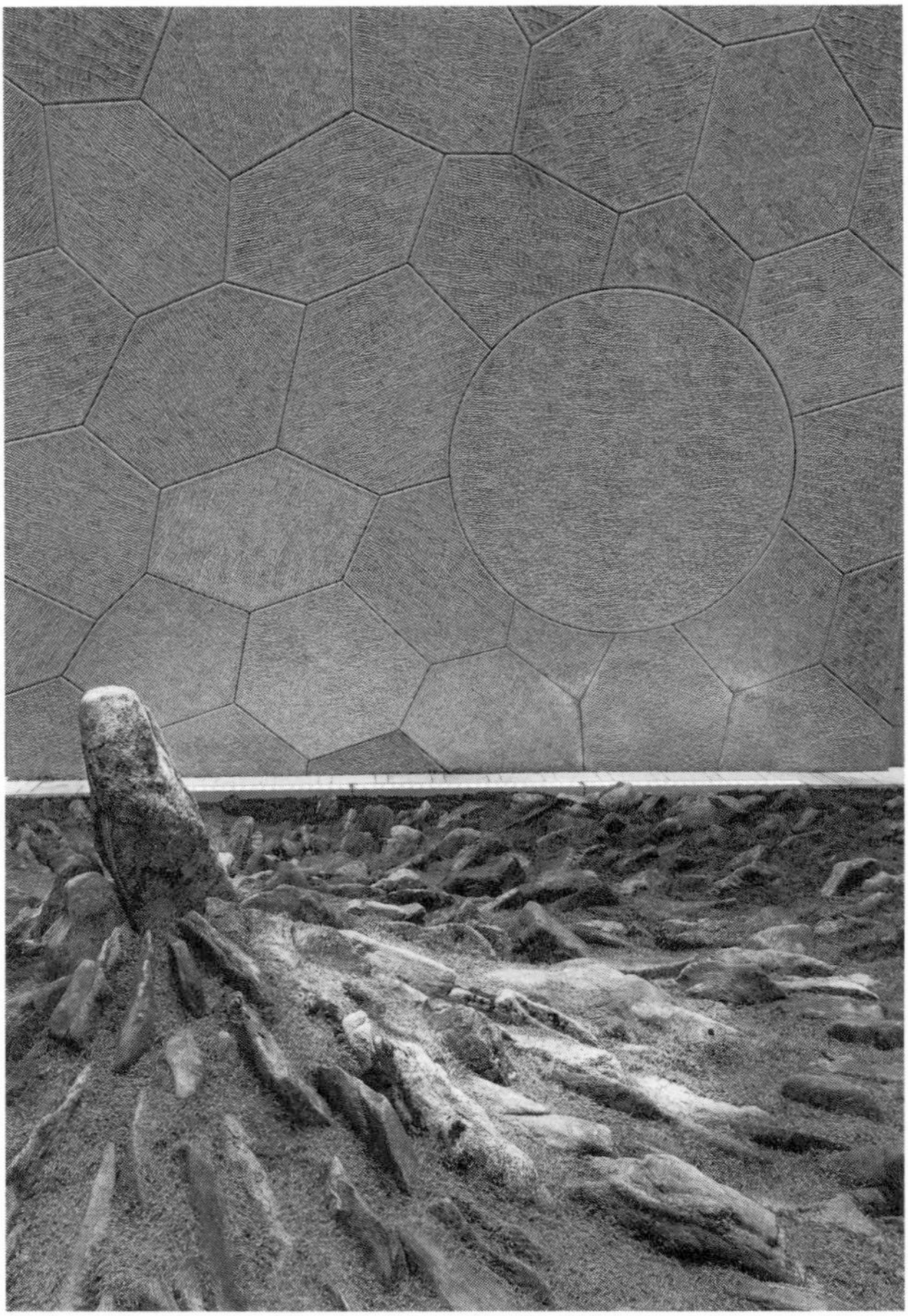

マークさんの手がけた「Thrust!」はマンハッタンのブティックの中庭にある。伝統的な庭園の素材を使用し、地球のプレートを表現している。

（写真提供＝マーク・ピーター・キーン）

空間に数々の岩が上向きの角度で取り入れられた作品で、新しい時代の庭園として話題を呼んだ。

現在、さらに刺激的なテーマでマークさんは庭を設計している。「静かな一点の庭園（Still Point Garden）」という作品だ。これからの時代、人工知能の進化によって人類の知能を凌駕するコンピューターが登場する。それによって人間の世界観が大きく変わり、人類は「シンギュラリティ（技術的特異点）時代」を迎えるといわれる。マークさんはそれをテーマにして、これから京都で庭園をつくろうとしている。

「コンセプトはもの凄く複雑なんだ。たしかにわかりづらい。これから、科学、物理学、経済学、文学、さまざまな分野で人工知能が人類を追い越し、シンギュラリティを迎える。私がこれをどう解釈しているかというと、ある領域のなかの点として、その点からすべてが生まれるか、すべてがそこに還《かえ》るか……言葉では上手く説明できないが、そのような中心にある静かな点として、現代の枯山水を考えているんだ」

マークさんが京都で最初につくった枯山水は、「Spiral Garden」という。彼が京都造形芸術大学で教えていた頃のことだ。ゼンマイのようならせん形植物から宇宙の銀河の動きまで、らせん形の宇宙エネルギーの概念を枯山水に取り入れた。その庭園は京都の造園会で話題になった。二十年ぶりに京都に戻ったマークさんが、これからどんな実績を残すのかがとても楽しみだ。

13

金明姫《キム・ミョンヒ》

アーティスト

一九四九年、韓国・ソウル生まれ。一九七五年、京都に移住。絵画・染織・造形など幅広いアート活動を行うなか、二〇〇〇年に始めたライフマスクプロジェクトをライフワークとし、世界各地で公演、展示、ワークショップを行う。

京都に住んでいる親友から、こんな話を聞いたことがある。近所のお婆さんが畳の上で静かに息を引き取ったとき、それは「美しい人生の証しだ」とまわりの人に言われたという。日本人は生活の美を大事に、死ぬ間際でさえも大切にしてきた。お坊さんや文人は辞世の句を詠む習慣もある。欧米でいえば、死者の顔面の像を残す風習と似ている。これはデス・マスクと呼ばれるが、「人生の面影《おもかげ》」を美しく残すという考えは同じだ。

僕が大好きな芸術家・金明姫《キムミョンヒ》（Myong Hee Kim）さんは「ライフマスク」を生涯の仕事としてつくり続けている。久しぶりに彼女の作品を見に行き、深く感動した。場所は京都の町家ギャラリー「The Terminal KYOTO」。金さんと娘のキアさん二人で迎えてくれた。そのときは「京縁」という京都在住の外国出身の芸術家のグループ展が開かれていた。二人に案内された二階の部屋には、床の間の壁一面に金さんの作品があった。

真っ白なお面が数十点、びっしりと重なっているその作品を見ると、息が止まった。デス・マスクと違って、老若男女や国籍、有名無名を問わずそれぞれのお面の表情に

「生きている安らぎ」の眼差《まなざ》しが感じられた。「ピースマスク」と題されたその作品は、金さんの人柄と、芸術が持つ本来の精神的な役割とは何なのかを感じさせた。

「私たちは自分の本当の顔は知らないでしょう」と金さんが微笑みながら説明してくれた。「でも、この作品に参加した人たちは、たくさんのマスクのなかで自分の顔を見つけると、性別や年齢、または国籍なども関係なく、本当の自分を一瞬で悟るの」

　金さんは四半世紀以上、このピースマスクをつくり続けている。

「大事な顔は命そのものだから、丁寧に心を込めてつくります。石膏で型を取る前に、モデルの顔に冷たいクリームを塗りますが、そのクリームが気持ちいいと喜ばれるのよ」

「お面づくりは儀式です」と娘のキアさん。彼女は平和活動家として活躍している。

「お母さんはモデルの気持ちを楽にさせるのが、とても上手。すぐにモデルの内面的な話を引き出して、幸せな気持ちを分け合う雰囲気をつくります」

「参加者にとっては非常に個人的な体験だけど、でき上がったお面を他のみんなのお面と一緒に展示すると、誰もが自分が匿名になることにびっくりする。そのときに、

私たちが共有する普遍的な人間性を感じることができるのです」と金さん。

ピースマスクをつくるきっかけは「自分探し」だったという。「自分の素直な本当の顔が見たいし、相手の素直な顔が見たい。それが始まりでした」

韓国・ソウルで出会ったアメリカ人のご主人と一九七五年の冬、京都に移り住んだ。ご主人の京都の大学での仕事のためだった。初めての京都の印象は、「とても暖かだった」という。

「引っ越しは冬だったのに、京都の家の窓を開けると、近所の庭にお花がいっぱい咲いていて、家は狭い印象もあったけど、床の間などのあらゆるところに季節を感じさせるしつらえがあって感動しました。小さな空間なのにこんなに上手に使うとは、その美意識はなんだろうと驚いた」

ソウルの大学で音楽を習った金さんは京都の「美しい暮らし」にすぐ馴染《なじ》んでいった。「昔からの伝統的な美意識がとうとうと流れている日常が楽しかった」。最初は染織、それから陶芸や書道も習い、良い先生との出会いがあって日本画、そして南画を懸命に学んだ。十年後の一九八五年にはプロの画家になった。

金さんのアトリエに飾られた陶芸作品とインドネシアの面。

その頃は「人」をテーマにする抽象的な絵画を描いていたという。京都にはいろいろな人が訪れてくる。いろいろな国の人に出会い、金さんはいつの間にか日常的に三カ国語を使うようになった。

「そうした体験のなかで、私たちは様々な顔を持っていることに気がついた。私の場合、芸術家としての顔、妻としての顔、母親としての顔がある。また、韓国人同士のときの顔、夫の欧米人の友達と一緒にいるときの顔、あるいは日本に暮らす韓国人としての顔などね。生活するにあたって、いくつかの顔を持っていなければならない」

しかし、そうしていくつもの顔を使い分ける生活はストレスにもなった。

「自分の本当の顔を隠し、違う顔を見せなければならないのが心底いやだと思ったときもあった。それがピースマスクをつくるきっかけになった」

彫刻家の友達に尋ねてみると、石膏を使えば、簡単にマスクができるとわかった。金さんはその友達にお願いして、自分のマスクをつくってもらうことにした。一九九五年のことだった。結局、石膏でつくったマスクは硬くて、和紙との組み合わせを試行錯誤しながら、現在の独自の技法を編み出した。

金さんと娘のキアさん。

二〇〇二年、日韓共同開催のサッカーワールドカップを記念して、金さんは「日韓ライフマスク二〇〇二」を企画した。日本人一〇〇一人、韓国人一〇〇一人のマスクを日韓二十七カ所、市民参加という形で制作し、展示する企画であった。苦心の末、同年六月に横浜で、そして十二月にソウルで展覧会が実現した。この反響は大きく、世界のメディアから注目され、一般人、著名人を問わずたくさんの来場者があった。「展示されたマスクを見ると、誰が韓国人か、日本人かまったくわからず、差別なんてなくなった」と金さんと娘のキアさんは声をそろえる。

展覧会が終わると、供養の儀式を縁のある韓国のお寺にお願いした。お坊さんが経を唱えながら、屋外でそれらのマスクを焼いた。「一瞬にして天に向かう火が、あまりにも神聖で美しかった」と金さん。「和紙はふつう千年の間持つけど、火をつけると一瞬にして燃える。人生もそうです。魂は丈夫だけど、命は脆いものです」

金さんは作品を残さない芸術家として名が高い。影響力のあるクリエイターにもかかわらず、美術館などにあまり作品が収蔵されていない。「つくり上げる工程が大事」と金さんは言う。参加者や見る人の心に残る面影が、作品だということなのだろう。

「この『日韓ライフマスク二〇〇二』をやりながら、自分を見つめることができた。前は嫌いな人もいたけど、プロジェクトのなかで、みんなの努力の跡を知り、誰もが平穏な顔を持っているのを知ったの」

親友の尼さんに、金さんはこう言われたという。「人生にはいろいろな痛みや苦労がある。そのときに人生の不純物が蒸発し、最後に純粋なところが顔に残る」

金さんは現在、田舎で制作と庭づくりに時間をかけている。また、大好きな黒谷《くろだに》の道を歩いたり、娘さんと大原の阿弥陀寺を訪れ、母国の山寺や若い頃を思い出したりする。たまにはキアさんと外国に出て、世界平和のための芸術活動も続けている。

そしていつかは、いやまだまだ先だろう。この人は畳の上で静かに息を引き取るのかもしれない。いずれ、あのお婆さんのように、「美しい人生の証し」を人々の心に残して。

14

ベアント・シェルホルン

Bernd Schellhorn

アートアドバイザー・美術商

一九六六年、ドイツ・ロストック生まれ。二十四歳で来日し、日本の陶芸家の内弟子となり、日本の伝統文化や美術を学ぶ。後に精進料理を中心に和食を勉強。ベルリンで精進料理をふるまうかたわら、現代アートの展覧会をプロデュースするなど世界各地で活躍している。

成功しているフランスのレストランには、必ず日本人のスー・シェフ（総料理長の補佐）がいる。パリ在住の友人にそんな話を聞いた。それが成功の秘訣だとみなが知っている、と。その理由は、食材に対する繊細さ、または勤勉さや協調性だと言われている。それは優れた職人に共通する、「匠」という精神性そのものだ。

　そうした食の世界を長年、追求しているドイツ人の親友がいる。現代アートのプライベート・アドバイザーで美術商のベアント・シェルホルンさん。日本とドイツの文化的な旅のクリエイターでもある。彼は一流の仕事をしながら、風の旅人のような生き方をしている。日本とベルリンに拠点があり、日本では京都で暮らしている。彼が京都にいるとき、よく彼の家に食事に招かれる。共通している話題は、旬のものを採取するネタだ。裏山で採った筍、銀杏の若葉、三つ葉、柚子などを使った料理を頂きながらベアントさんの話を聞く。

　ベアントさんが創作する精進料理はとても美味しい。目《め》利《き》きで、器の選び方も感性豊かだ。ドイツ人の質実剛健さと、長年学んだ日本的な繊細さが合わさった料理が、豊かな世界を見せてくれる。「匠」の精神はもちろん、「一期一会」「一物全体」「身土不二」「禅」「食道楽」などの言葉が思い浮かぶ。「現代の北大路魯山人」は大げさかもしれないが、共通する豊かな芸術性を感じる。

「料理をつくるのがただ好きなだけなんだ」とベアントさんは謙遜して答える。「リラックスできるし、盛りつけのクリエイトも楽しい。誰かが少しでも感動すれば、それは何より僕の幸せ」

料理の隠し味は、そのつくり手の人生が齎《もたら》すスパイスだと思う。ベアントさんは目も舌も豊かな経験に鍛えられている。それだけではない。彼は毎年一カ月間、京都の茶懐石「辻留」をはじめ、「柊家」や「粲居《さんきょ》」「阿じろ」などの厨房に入り、修業する。今でも精進を欠かさないのだ。

彼の人生は小説のように面白い。繊細な感受性を持った青年は、偉大な人との出会いで花開く。ベアントさんの場合、母国の修道院で出会ったフーゴ・マキビ・エノミヤ=ラッサールという人物がいた。広島の原爆を体験したラッサール神父は戦後のヨーロッパで禅を広めたイエズス会員だった。当時、ベアントさんは十七歳。家具職人の技術を学んでいたベアントさんに、その出会いが大きな影響を与えた。禅を始め、能

ベアントさんがつくった料理。

上：焼きなす、ふきの煮物、紫水菜、カラスノエンドウ

下：焼きズッキーニの菜の花のせ

や雅楽などの日本文化の深いところに興味を持つきっかけになった。しかし、当時の一般家庭に育っていた東ドイツの若者には、日本は遥か夢の彼方のおとぎの国だった。

二十三歳のとき、ベルリンの壁が崩壊する直前に、ベアントさんはハンガリー経由で西ベルリンへ亡命することができた。ある日、西側の街を探索すると、通りかかった窓に展示されたやきものが目に飛び込んできた。その店に入ると、予期せぬ日本とのご縁が待っていた。

「その店に、陶芸をやっている若者がいてね。お茶を飲みながらいろんな話をした。すぐに意気投合したよ。彼の話は本当に面白くて、特に日本で瀬戸焼の修業をした話に強く関心を持った。そのうち、彼の仕事を手伝う話になったんだ。そして結局、彼が愛知にいる先生に僕の推薦文を書いてくれたんだよ」

半年後、ベアントさんは瀬戸焼の窯元に行くことになった。成田空港から乗った電車の窓の向こう、風にゆれる竹藪に深い感動を覚えた。

「今でもそうした日本の原風景を見ると、デジャヴを体感するよ」

瀬戸に着いたその日の夕方から、美夜之窯《みやのがま》の加藤元男先生の家で内弟子生活を始め

骨董屋・尾杉商店で料理の器を吟味するベアントさん。

た。日本語をまだ習得していないベアントさんは初日から言葉に苦労した。先生とみんなと、仕事も暮らしも一緒。休みは月に一日だけだった。毎日、疑問や発見の繰り返し。ドイツの家具職人の修業で鍛えられていたおかげで、ベアントさんはそんな不自由な生活も楽しく過ごせたという。

しかし陶芸ばかりがベアントさんの目的ではなかった。せっかく日本に来たのだから、京都や他の日本の文化にも興味があった。

「先生は旅行を許してくれなかったんだ。でも、なんとか三カ月の休暇をもらって日本各地を旅した。まずは京都に行った。友達のところに泊まり、吉田山や東山あたりを毎日散歩したね。新しい街へ行くと、まず歩いてみるんだ。そうするといろいろなことを発見できる」

旅に出かけると、人に出会い、運命的な巡り合わせもやってくる。佐賀県の唐津で、またある人物に出会った。古い唐津焼を蘇らせた、西岡《にしおか》小十《こじゅう》という陶芸家だった。その人柄や作品に魅力を覚えたベアントさんは、見習いをさせて欲しいと申し出た。そして唐津での弟子生活が始まった。

「小十先生は山で土を掘り出すんだけど、良い土かたしかめるためにそれを口にするんだ。先生は食通でもあったので、唐津でいろいろな美味しい料理を食べさせてもらったよ」

瀬戸と唐津で、五年近くの見習い生活。ベアントさんは母国が恋しくなってきたという。日本を去る前に、西岡先生の友人である中谷健太郎さんに会った。

「ドイツへ帰ったら、日本の何を恋しく思うだろう？」

「日本食です」

ベアントさんは即答した。

「じゃあ、なぜ料理を勉強しなかったの？」と中谷さんは言った。

「帰る前に、私の宿の厨房に少し見習いに来るといいよ」

それをきっかけにベアントさんは由布院《ゆふいん》「亀の井別荘」の厨房で修業した。「普通は一カ月では何も始まらない。冷やかしだと思われても仕方ないけど、料理長は優しく接してくれた。まずは、様々な料理工程によって素材の味がどう変わるかを食べさせて教えてくれたよ」

その後、ベアントさんはドイツに戻り、大学で美術史やアートマーケティングなどを勉強した。卒業後、ベルリンの現代アートの名門画廊に勤めた後、ニューヨークの画廊に移った。日本を離れている十三年の間も、日本の工芸品を美術館などで頻繁に鑑賞した。二〇〇七年にベアントさんはベルリンに戻り、プライベート・アート・アドバイザーの仕事を始めた。そして、ある美術館の理事長から、パトロンやコレクターのための日本ツアーの企画を頼まれた。

その企画が好評で、定期的に日本へ来ることになった。日本食も芸術だからと、ツアーのお客さんを一流の料亭などに連れて行き、ベアントさん本人もまた、和食の魅力に圧倒された。

「食べ物の盛りつけと器の視覚的な側面、香り、食感、味、そしてそのすべてのバランスが僕の『食』の概念を大きく変えた。陶芸などの経験があったから、もっとその世界を追求したくなった」

ツアーが終わると、ベアントさんは本格的に料理を学び始めた。最初は精進料理で有名な棚橋俊夫さんのもとで修業した。なぜ精進料理だったのか？

「まずは、僕が初めて食べた精進料理がびっくりするぐらい美味しかったから。しかも、仏教の根本的で基本的なアプローチから生まれたものだから。茶懐石にも通じることだけど、見た目より『心』が大事。感謝の気持ち、人間と自然とすべてがつながっているということへの気づき、思いやりの気持ち、気を配ること、丸ごと受け入れること、今ここで料理できることの喜びと貴重さ。誰もがどこにいてもそんな精進の考え方をもとに料理をすることができる。さらには、それぞれの食に対する態度が、世界をも変える可能性を持っている。また、これは僕個人の経験だけど、日本の伝統的文化の大切な点は、物事を頭ではなく、身体と経験を通して学ぶところにあると思う。そのプロセスは一見繰り返しのように見えるけれど、実は毎回新しい挑戦と学び、そして深い喜びを伴うんだ。それは言い換えれば瞑想的でもあるね。理想的には、自分がなくなって、やっていることと一体になる。言葉では説明できないけど、人間がもともと持っているまっさらな心の状態。僕にとっては、料理をして、食べてもらうときがそう。とてもリラックスして楽しく感じる。そして、後には経験だけが残る。それが深い満足だったとしたら、僕にとってこんなに嬉しいことはないんじゃないかな」

金柑寒天のデザートを食べながら、彼は話してくれた。

15

建築家

陳勤忠

チェン・チン・チョン

一九六三年、台湾生まれ。自身の建築設計事務所を運営するかたわら、環境・空間デザインにも携わり、台湾に多くの建築作品を残す。また、日本統治時代の日本建築や茶室の修復にも尽力している。

フランスの王子様、ルイ・アルベール・ド・ブロイと少し付き合いがある。彼は「トマトの王子様」と呼ばれ、南フランスのシャトーで五百十四品種のトマトを栽培している。以前、沖ノ島が世界遺産になる前に、彼と島を調査したことがある。九州の宗像《むなかた》から島へ向かう途中に、海上タクシーの船首で日光浴しながら、僕たちの話の内容は京都に展開した。ルイ・アルベールは印象深い発言をした。「京都は鏡だ」それをより詳しく尋ねてみると「京都へ行くと、フランスの騎士道時代の様子を思い出す」と答えた。その理由は、応仁の乱以前から続く家があることだという。また職人の工房を訪れると封建時代の面影《おもかげ》が反映されているそうだ。なるほど、と思った。

以前に、茶の湯を追求しているミラノの名家出の友人アルベルト・モロさんからも同じような話を聞いた。十九世紀末まで、イタリア半島には小さな王国や都市国家がいろいろあった。その歴史の炎は、今日までずっと人の心から消えない。「お茶や剣道を経験すると、その時代の暮らしや精神の記憶が目覚める」という。こういった話を聞くと、世界の人々がなぜ京都に惚れるかが少しわかる気がする。

実は、ここに紹介したい台湾の親友も「京都は鏡だ」と言う。日本のためだけの鏡ではなく、世界の鏡という意味も含む。特に都市開発が激しく進むアジアの国々の人たちは京都を見本にしている。でも彼は京都の現状に危機感を覚えている。「京都の伝統的な景観がなくなると、京都の人は自分の姿が見えなくなる。京都の歴史ある建物を取り壊したら、京都人自身の伝承に関する記憶もなくなってしまう。その記憶がないと、歴史もなくなる。歴史がないと、これからの文化は形成できない」

台湾の友人、プラトンさん（陳勤忠さんのあだ名）は「歴史の感覚を取り戻すべきだ」と宣言する。プラトンさんは子どもの頃、日本統治時代に建てられた日本風の木造家屋に住み、畳の香りで育てられた。ある日、故郷の家が都市開発の勢いで取り壊されたと聞き、大きな喪失感を覚えた。建築業をやっているプラトンさんは何かしないといけないと思った。結局、日本統治時代の歴史的な建物や家屋を守り、修復する第一人者になって、その活動が続いている。

奥さんのジュンさん（張瓊文さんのあだ名）は僕の茶飲み友達だ。彼女が子どもの頃、お母さんが日本の童謡を寝る前に読んでくれていたという。家族は和風の家に暮らし、両親はふだん、日本語をしゃべっていた。小さい頃から日本文化に馴染《なじ》んでい

プラトンさんが修復した日本建築。

たジュンさんはこの数年、京都市立芸術大学の先生の指導を受けて「敦煌《とんこう》」をテーマに日本画を描いている。

台北《タイペイ》へ行くと、二人とよく会う。一番好きな場所は、台北にある日本風木造家屋だ。そこは、プラトンさんが改修し文化サロンになり、仲間に会うのに快適な「歴史を生かしている」空間だ。また、二人が時々そこで、お茶会を主催する。台湾を代表する茶道家、華道家、詩人などに人気で、みんなが台湾茶を頂く前に、日本の茶室で抹茶をいっぷく頂くことがある。

プラトンさんが設計した茶室は風流だ。土壁の和漢折衷の感性に感動する。壁には藁《わら》の代わりに台湾茶の葉が使われていて、まさに「茶室」の雰囲気になる。「形ある空間で、形のない精神を表現することにチャレンジしたい」とプラトンさんは言う。

このような和漢ハイブリッド文化を生み出しているプラトンさんに、今こそ注目したい。政治経済の摩擦、または民族のちがいを話題にする人や報道が多い世のなか、調和の力を持つ東アジアのハイブリッドクリエイターが、この二十一世紀に果たす役目は大きいだろう。

茶室の壁には台湾茶の葉が混ぜ込まれている。

プラトンさんとジュンさんは京都にも拠点があり、京都に滞在して得た刺激を、次の仕事に活かしている。「桂離宮のようなシンプルで自然な建築はもちろん好き」とジュンさんが言う。「でも山科の琵琶湖疏水路を歩いて、道沿いの様々な日本家屋や庭園を眺めるとそれが仕事のヒントになるの」

「京都の古い街にいると、隅々に隠れている歴史や美学などと対話できる。昔からそこに住んでいる人々の思いが少しずつ積み重なってその場の雰囲気がつくられているからだと思うんだ」

プラトンさんはよく京都の建築や職人の仕事現場を視察する。新しい想像力をはらんだデザインや、センスにあふれた美しいディテールが、自分の仕事に参考になるからだ。

そんな彼らが今、京都の未来を心配している。ヨーロッパでは、行政、ビジネスリーダー、市民が力を合わせて伝統的な景観を維持しようと取り組んでいるが、このような仕組みが京都の経済界や行政には十分に整っていない。毎週のように町家は壊されている。

奥さんのジュンさんと。

「京都の古い遺産は、寺院と観光地に残っている。街の景観は観光のためではない」とプラトンさんは言う。「それは地元の人々のアイデンティティのためです」

　あまりにも多くの情報に圧倒されている昨今、私たちには過去の遺産と未来のことを判断するための時間が足りていない。プラトンさんが言うように京都はアジアでとても重要な都市モデルだが、都市開発を計画する人々が判断を誤れば、京都の魅力は永遠に失われるだろう。京都が他の街と同じようになれば、もはや京都と認識できなくなる。それは日本だけでなく、アジア、世界にとっても大きな損失なのだ。

「グローバル化した今、私たちには、日常のなかで昔話ができる古き良き建築が必要だと思う。古い建物に残された昔の人々の心が今の人の心を養う。古いものを守らなければ、いつか、歴史が我々のことを抹殺していくだろう」

　プラトンさんの話を聞くと、京都の鏡にヒビが入っているのが見えてくる。そのヒビがこれからどこまで広がるか。もし、その鏡が割れると、京都の姿が消えるだろう。今、私たちに何ができるのか。金継ぎのような伝統技で京都の鏡をきれいに直すには、行政に任せるのではなく、京都に暮らす人々の志が重要になってくるだろう。

一九五九年、アメリカ・ワシントンD.C.生まれ。フォトジャーナリストとして五十カ国以上を旅し、一九八八年から日本に定住。日本の深層文化の面影を、江戸時代の技法「湿板光画」で撮影する。文化庁長官表彰受賞。『日本力』(松岡正剛と共著)、『失われゆく日本』、『先祖返りの国へ日本の身体－文化を読み解く』他著書多数。

エバレット・ケネディ・ブラウン

Everett Kennedy Brown

日本文化研究家・湿板写真家

00

南禅寺の裏側に原生林がある。そこに苔石が転がる小川がせせらぐ谷道がある。頑張って登れば、かつては絶えた滝の音が、久しく聞こえる。さらに登ると、山びこが見事に返ってくる尾根がある。夕方に行くと、鳥たちのさえずりも耳に入る。運が良ければ、道端で可愛い狐の家族に会える。

その山道をずっと登っていくと大文字山だ。嵐山や愛宕山《あたご》まで京都全体が見渡せる。元気があれば、毘沙門堂《びしゃもんどう》へ抜ける裏道に進む。琵琶湖に向かう旧道もある。平安以前、最澄《さいちょう》が比叡山を開山する前の時代から、山伏がこの古道を通って大津の三井寺《みいでら》と京都の間を行き来した。今でも遠くから法螺貝《ほらがい》の音が時々響く。ここが僕の京都だ。

京都に移り住んで三年目。それ以前は、千葉の房総半島でお米をつくっていた。味噌や醤油も仕込んだ。竹藪だった場所を開拓して農場にし、五人の子どもを元気に育てた。また体験型の宿泊施設ブラウンズフィールドを立ち上げ、「懐かしい未来」のビジョンを形にした。そのとき、四季折々の農耕的な暮らしをしないと、本当の日本の感性はわからないと感じた。

平日は東京へ通勤し、ヨーロッパの通信社の日本支局長を務めた。福島原発や沖縄の基地問題を取材し、ＡＰＥＣなどの国際会議に出張した。伊勢神宮の式年遷宮《しきねんせんぐう》やアイヌの儀式再開にも参加し、三十年にわたり日本を飛び回って取材した。

その間に大好きな師匠に出会った。編集工学研究所の松岡正剛《せいごう》を始め、花人の川瀬敏郎、作家・花田春兆、そして民俗学者・姫田忠義《ただよし》の影響により、学校では教えてくれない「日本の面影《おもかげ》」を知るようになった。

「日本の面影」は儚いものだ。日常のなかでなかなか現れないし、見つけてもどうやって表現するのかが難しい。

以前に竹中大工道具館の依頼で、大工の道具を撮影したことがある。そのとき、優れた職人の技で道具に命が吹き込まれるのを感じて驚いた。そこに「面影」が潜んでいたからだ。

奈良の法隆寺を修復した宮大工・小川三夫からこんな話を聞いた。「寺の屋根裏を上がると、数百年前の先代の職人の声が聞こえる」と。「日本の匠精神」はすごいものだと思った。

僕がライフワークとして使っている写真技法がある。幕末頃に発明された「湿板光《しっぱんこう》

湿板光画の技法で写真を撮影するエバレットさん。

画《が》」という。感光性がある鉱物を独自の方法で調合し、ガラスのネガをつくる。すべての工程は撮影現場に立てた暗室テントのなかで行う。

今まで日本各地で撮影し、作品をつくってきた。奈良の宮大工、兵庫の鍛冶屋、相《そう》馬《ま》の現代侍たち、九州の名家、北海道のアイヌ、出雲《いずも》の銅鐸《どうたく》、山梨の縄文土器などを撮影した。でき上がったネガには、登り窯から取り出したやきものの美しい窯変《ようへん》のような「写真を超えた表現」が見える。この手づくりの技法で少しでも匠精神を身につけようとした。あの儚い「日本の面影」の世界観を、数々のガラスネガに少しずつ収めていった。

六十歳になると還暦が訪れる。子育ては終わり、人生の最後の登り坂で自分自身に向き合う時期が訪れる。松尾芭蕉は江戸の家を片づけ、奥の細道に出かけた。売茶翁《ばいさおう》は法衣を捨て、鴨川のあたりに茶店を出した。また、大愚《たいぐ》良寛《りょうかん》は最高の美を求めるために世俗的な人生を捨て去った。このような人生にずっと憧れていた。

二十五歳の正月を思い出す。恋に落ちた尼さんに誘われ、大晦日《おおみそか》の夜にお坊さんたちと大徳寺の梵鐘《ぼんしょう》を鳴らした。雪が降っていた。欠けた月が雲の間におどる夜、焚き

便利堂印刷で作品の仕上がりをチェックする。

火に囲まれて雲水たちと日本酒を飲んだ。梵鐘が沈黙に戻る深夜までに、松の枝の間にしんしんと落ちる雪花の情景が心に馴染《なじ》んだ。今まで知らなかった自分に、その夜、心の底で出会った。人生で一度は京都に住まないと、後悔すると思った。

　人生には様々な道がある。還暦を手前に京都のお寺に住めるとは思わなかった。二〇一七年の盛夏、大徳寺の雪の夜に見た夢を形にするときがきた。逢坂関《おうさかのせき》の登り坂にある月心寺《げっしんじ》の門の向こうに、心が求めていた京都、心が求めていた人生が待っていた。

　月心寺は日本画家、橋本関雪《はしもとかんせつ》の夏の別荘だった。大正時代の書院造りの縁側から眺める庭。千年以上絶えることのない湧き水の滝、苔むす異形の岩群《いわむら》、大きな楓の木陰に佇む茅葺《かやぶ》き屋根の茶室。ここで、置き忘れた何かを取り戻す作業が始まった。

　月心寺に持ってきた本があった。木喰上人《もくじきしょうにん》の作品集だった。十八世紀に日本中を放浪した木喰は六十代から木彫りを始め、九十二歳まで人々を感動させる作品をつくり続けた。その作品集のページをめくりながら、京都で何を撮影するかを考えた。

　以前に近衛忠大《ただひろ》さんや保科眞智子さん、また相馬行胤《そうまみちたね》さんのような代を重ねる名家の親友の肖像を撮った。彼らは先祖のことを考え、次の世代にどんな歴史を伝えるか

を考えている。日本人は古来、先祖を大切にしてきたが、最近はちがう。目先の経済に振り回された結果なのか、先祖への意識が歪んでいる人が多いように思う。自分がどこから来たか？　それを深くたどれば、生きる下地になり、人生がどこに行くかも見える。一昔前までの日本人が持っていた品格は、そこから生まれたと思う。

品格はもともと、九つの段階があったという。本当に上品な人は社会的責任や義務を持っている。下品な人は自分の利益だけを考える。人の肖像を湿板で撮ると不思議なことが起こる。忘れられた先祖の記憶が蘇り、潜んでいる品格が浮かび上がることがあるのだ。

僕はこれから京都の品格を取り戻すことを課題にしたい。京都はもともと品格の都だった。その品格の「面影」が今の街の魅力だと思う。上品なものには優雅さと美を感じる。下品なものには面白みがある。けれど品のないものが増えると京都が消える。

先日、「桜守《さくらもり》」十六代庭師、佐野藤右衛門の肖像を撮った。若い世代にその肖像を見せたい。このような品格ある人を手本にすると、京都の品格が上がる。庭師や他の職人、住職、神職などの代を重ねる人だけではなく、行政や住民も京都の歴史や品格

桜守・佐野藤右衛門氏。京都迎賓館にて。

をつくっている。
撮影場所は桜が満開だった京都迎賓館の庭だった。迎賓館のことはみんなほとんど知らない。行政や設計者、また職人など関係者の心が一つになった、公共施設として市内に類がない事業だ。品格ある職人が腕をふるいながら、伝統と最先端を合わせて、二十一世紀の代表的な建物をつくった。京都のこれからの手本になると思う。

京都の山は寂しい。街から見ると緑は豊富に見え、大文字山を見るとホッとする。しかし、その向こう、目に見えない山のなかでは、二〇一八年の西日本豪雨で倒れた木々が今でもそのままにされている。その山に、三百年後の寺を修復するための木材を、今、植えている人たちがいる。彼らのように、僕も未来に目を向けて、京都の品格をつくる手助けができたらと思う。

おわりに

エバレット・ケネディ・ブラウンの「京都派」

アレックス・カー

この本に登場する「京都派」の外国人たちの写真は、いつの時代に撮られたものなのでしょうか？　特殊な技術を用いたエバレット・ケネディ・ブラウンの写真は、明治か大正にタイムスリップしたようで、「富岡鉄斎の晩年の書斎」のような希少な時代記録に感じられます。私たちの年齢も平均六十歳前後なので、もう「晩年」に近づき、歴史人物になりつつあるのかも知れません。

同時に、それぞれキャリアのトップに立ち、世界に対して大きな影響を与え、極めて「旬」の話題を作り出しています。エバレットの写真は古い時代の味を醸しながら、新鮮なコンテンポラリー感覚も含んでいます。昔の文人のアトリエと、現在の京都派の棲家《すみか》、両者には同じ精神が流れ、近年の目まぐるしい変化のなかでも揺るがない京都文化の力が感じ取れます。

エバレットが撮る人物は、アート、執筆、古民家再生、文学、出版、写真、教育など様々な分野で活動しており、私は彼らのことを「クリエイター」と総称しています。エバレットは、彼らが自身のアトリエや自宅でライフパートナーや友人と過ごすひとときや、作品に手を触れているところなど、人生観溢れる瞬間を写真に写してきました。写真と簡潔な説明文によって読者は親しみを覚え、クリエイターの人生経験と京都探求の熱意に感動するのだと思います。少なくとも、「京都派」の一人である私はそうでした。他の方たちとも長年親交がありましたが、意外とキャリア背景、京都に来た動機などは知りませんでした。この本をきっかけに旧友の新たな一面を見ることができました。

「エクスパット」(異邦人)は、文化を成熟させる一種の「酵母」のような存在だと、最近よく感じます。エクスパットがいなければ、練り粉は膨らまず、文化はずっとフラットなまま残っていきます。異邦人は移り住んだ国の文化を斬新な形で世界に発信します。

数年前までは長期在住の外国人が少なかった日本の影響力は、ニューヨークやパリに比べると小さなものでした。しかし、この十数年、日本もだいぶ開かれるようになり、ようやく「京都派」の出番が回ってきました。

これに逆行しているのが最近の中国です。厳しい規制は社会にも及び、外国人の活動は抑えられています。結果として、経済と軍事力が強くなる一方で、「外」のクリエイティブな世界への北京や上海の影響力は薄れてきています。皮肉にも、経済がずっと停滞している日本の方が、新しい世界文明から注目を浴び、そのなかでもひっそりとした京都の強さは際立っています。

排他的と言われる京都ですが、実は外国人を快く受け入れる傾向があります。その一つの要因は、日本人が関心を失くした芸術、信仰、文化などの伝統に対して、京都在住の外国人たちは熱心に興味を示すため、良き理解者として歓迎されるのだと思います。

*

今回掲載された人の多くは、生活の拠点を古民家においています。古い家の佇まい、寺院、芸術の家元、伝統工芸、山や川の自然が脈々と受け継がれてきた京都は、日本はおろか、アジア全土を見渡しても他に類を見ない街といえます。深い文化の流れは京都の強みであり、「京都派」が成功する秘訣だと思います。

著者略歴

エバレット・ケネディ・ブラウン　Everett Kennedy Brown

1959年、アメリカ・ワシントンD.C.生まれ。一般社団法人京都会所代表。フォトジャーナリストとして50カ国以上を旅し、88年から日本に定住。EPA通信社日本支局長や東京大学先端科学技術研究センター客員講師を経て、日本の深層文化の面影を江戸時代の技法「湿板光画」で撮影する。作品は国内外の美術館で展示、収蔵されている。『日本力』(松岡正剛との共著、PARCO出版)、『Japanese Samurai Fashion』(赤々舎)、『失われゆく日本』(小学館)、『先祖返りの国へ 日本の身体-文化を読み解く』(晶文社)、『Archaic Future』(Harvest出版)他著書多数。文化庁長官表彰受賞。

京都派の遺伝子
15人の海外クリエイター

令和2年10月2日　初版発行

著　者　　エバレット・ケネディ・ブラウン

発行者　　納屋嘉人
発行所　　株式会社 淡交社
本社　〒603-8588 京都市北区堀川通鞍馬口上ル
営業　(075)432-5151
編集　(075)432-5161
支社　〒162-0061 東京都新宿区市谷柳町39-1
営業　(03)5269-7941
編集　(03)5269-1691
www.tankosha.co.jp

印刷・製本　　三晃印刷株式会社

デザイン　　松田洋和

ISBN978-4-473-04419-8